PETITS CONTES SYMPATHIQUES

A graded reader for advanced beginning **students**

June K. Phillips

National Textbook Company
NTC a division of *NTC Publishing Group* • Lincolnwood, Illinois USA

Acknowledgment

I am very grateful to Dr. Ludo op de Beeck, Chairman of the Department of Romance and Classical Languages at Indiana University of Pennsylvania, for his critical reading of the manuscript. His insights and suggestions were a valuable contribution to this collection.

1996 Printing

Published by National Textbook Company, a division of NTC Publishing Group.
© 1989, 1984, 1977 by NTC Publishing Group, 4255 West Touhy Avenue,
Lincolnwood (Chicago), Illinois 60646-1975 U.S.A.
Manufactured in the United States of America.
Library of Congress Catalog Number: 76-14245

6 7 8 9 ML 9 8

Introduction

Petits contes sympathiques is a graded reader designed especially for students who are beginning their French-language studies. The twenty-eight stories in this collection are all written with a touch of humor and reflect cultural traits of French-speaking countries around the world.

Each lively story in *Petits contes sympathiques* is also accompanied by exercises of varied format intended to test and increase comprehension as well as to encourage conversation. Teachers often find that students lose interest in stories that take more than a single class period to complete. As a result, these stories are written so that most students can read one of them in class or at home within the space of forty-five minutes.

High-frequency vocabulary is stressed throughout this collection—with about eighty-five percent of words used to be found among the first 1,500 words of *Le français fondamental.* In addition, a close correspondence has been achieved between the vocabulary of this book and that of popular basal texts. Marginal vocabulary notes enable students to recognize new words, expressions, and verb forms as easily and rapidly as possible. As a further aid, a general French-English vocabulary at the back of the book lists all words appearing in the stories—with the exception of direct cognates.

Verb tenses in *Petits contes sympathiques* are gradually introduced in the order in which they normally appear in first-year texts. Thus, the present tense is used exclusively in the first sixteen stories, while the *passé composé*, imperfect, and future tenses are introduced in stories 17-28.

Numerous and varied exercises will help students develop reading comprehension as well as oral and written communication skills. The exercises provide a reasonable challenge intended to encourage students of all ability levels. The stories themselves furnish most of the information required for answering exercise questions. Thus, students need not refer back to their basal texts for help.

Exercises in this book have been organized into two groups. The first group (appearing directly after each story) consists of three exercise types. The first offers opportunities for evaluating and sharpening reading comprehension skills through formats such as matching, multiple choice, and true-false. The second asks students to manipulate vocabulary and grammar structures while they respond to content questions about the plot of the story. The third exercise type encourages independent expression by asking students to speak or write about a series of personalized questions linked to the story theme.

The second group of exercises (appearing at the back of the book) offers 1) vocabulary exercises—synonyms, antonyms, cognates, word families—intended to help students increase their ability to recognize vocabulary and to make "reasonable guesses"; 2) verb exercises to enhance reading skills and to promote active use of verb forms and tenses; and 3) structure exercises that drill a variety of grammar forms in both productive and receptive formats.

Teachers are encouraged to adapt exercises to the individual needs of their students. Slower students may use them effectively for remedial work; average students may find them useful as review; faster students may want to do only those exercises that present a challenge to them.

Petits contes sympathiques has been used successfully as a supplementary reader in a variety of classroom situations. It may be used with the entire class, in small groups, or with students who require individual instruction. In all these situations, the stories will provide students with reading practice while the exercises will develop their ability to use grammar structures, verb forms, and vocabulary. The option of requesting oral or written responses to exercises and questions offers teachers the flexibility of adjusting material to students' preferences and needs.

After they have finished *Petits contes sympathiques,* students will then be ready to enjoy *Contes sympathiques,* a graded reader intended for intermediate students.

Et maintenant, bonnes lectures à tous!

Contents

Introduction   iii

Une langue étrangère   1
    Vocabulary Exercises   83

1   Verb Exercises: Regular -er, -ir, and   83
            -re present tense verbs
    Structural Exercises   84

La publicité   3
    Vocabulary Exercises   86

2   Verb Exercises: Present tense of   86
            être, avoir, and
            vouloir
    Structural Exercises   87

La minute de vérité   6
    Vocabulary Exercises   89

3   Verb Exercises: Present tense of   89
            irregular verbs aller,
            venir, and pouvoir
    Structural Exercises   90

Politesse ou intelligence   8
    Vocabulary Exercises   91

4   Verb Exercises: Present tense of   91
            irregular verbs prendre,
            mettre, and faire

Un charlatan   11
    Vocabulary Exercises   93

5   Verb Exercises: Present tense of   93
            reflexive verbs
    Structural Exercises   95

6 Un garçon terrible 14

7 Savoir se taire, c'est beaucoup savoir 17

Une fiancée nerveuse 20
    Vocabulary Exercises 96
8 Verb Exercises: Present tense of 96
                irregular verbs *voir*,
                dire, and *servir*
    Structural Exercises 97

Bon appétit! 23
    Vocabulary Exercises 99
9 Verb Exercises: Present participle 99
    Structural Exercises 101

Le contestataire 26
    Vocabulary Exercises 102
10 Verb Exercises: Regular commands 103
    Structural Exercises 104

Comment les enfants apprennent–ils? 29
    Vocabulary Exercises 105
11 Verb Exercises: Irregular commands for 105
                être and *avoir*
    Structural Exercises 106

Je ne comprends pas 32
    Vocabulary Exercises 107
12 Verb Exercises: *Venir de* + infinitive 107
    Structural Exercises 108

13 La pharmacie 35

14 A quoi bon les voleurs? I   38

15 A quoi bon les voleurs? II   41

Quelle soupe excellente!   43
    Vocabulary Exercises   109
16 Verb Exercises: Review of 1–16   110
    Structural Exercises   112

Le pourboire   46
    Vocabulary Exercises   113
17 Verb Exercises: *Passé composé* with   113
        avoir of regular *-er,*
        -ir, and *-re* verbs
    Structural Exercises   115

La ponctuation   49
    Vocabulary Exercises   116
18 Verb Exercises: *Passé composé* with   117
        être
    Structural Exercises   118

Ici on parle français   52
    Vocabulary Exercises   119
19 Verb Exercises: Imperfect tense   120

Ami ou ennemi?   55
    Vocabulary Exercises   122
20 Verb Exercises: *Passé composé* of   123
        some irregular verbs
    Structural Exercises   123

21 Les devoirs   57

22 L'ami par excellence   60

23 Un poulet extraordinaire   63

L'astronaute   66
     Vocabulary Exercises   125
24   Verb Exercises: Future tense of regular   125
           verbs
     Structural Exercises   127

Le concert   69
     Vocabulary Exercises   128
25   Verb Exercises: Future tense of   129
           irregular verbs
     Structural Exercises   130

Point de vue   72
     Vocabulary Exercises   131
26   Verb Exercises: Irregular verbs in   132
           the *passé composé*
     Structural Exercises   132

Les innocents I   75
     Vocabulary Exercises   134
27   Verb Exercises: *Passé composé* of   134
           reflexive verbs
     Structural Exercises   135

28 Les innocents II   78

Master French-English Vocabulary   137
     Vocabulary Time Savers   137
     How to Use the Vocabulary   137

1. Une langue étrangère

Bijou a deux ans. C'est le chien le plus intelligent du village. Le jour de la rentrée, il quitte° la maison à huit heures du matin. C'est un chien ambitieux: il veut arriver à l'école de bonne heure. Sa mère lui demande:

—A quelle heure est-ce que tu rentres aujourd'hui, mon petit?

—Aujourd'hui je rentre à la maison vers° deux heures et demie, répond Bijou.

Pendant la journée, la mère de Bijou regarde l'horloge° de temps en temps.° Elle veut savoir comment son cher° enfant passe le premier jour. Elle s'intéresse beaucoup à ses progrès.

quitte leaves

vers about

horloge clock
de temps en temps from time to time
cher darling

1

A trois heures précises Bijou arrive devant la maison. Il frappe à la porte avec sa queue.° En ouvrant la porte, sa mère lui dit:

—Bonjour, mon petit!

—Miaou, miaou! dit Bijou, imitant un chat.

—Que dis-tu, Bijou? demande la mère avec surprise. Pourquoi imites-tu le chat? Ne sais-tu pas aboyer° et hurler° comme tout le monde?

—Mais si, je sais aboyer et hurler! dit le petit chien. Mais je veux te montrer° que je suis intelligent. Cette année nous étudions une langue étrangère° à l'école. Je sais déjà° dire ⟨⟨Miaou, miaou⟩⟩!

queue tail

aboyer to bark
hurler to howl
montrer to show

langue étrangère
foreign language
déjà already

I. Indicate whether each statement is true (vrai) or false (faux).
1. Bijou va à l'école aujourd'hui.
2. Il va rentrer vers 2 h 30.
3. Il ouvre la porte et entre dans la maison.
4. Le petit chien ne sait pas aboyer.
5. Bijou parle une langue étrangère maintenant.

II. Answer the following questions in complete French sentences.
1. Comment s'appelle le chien?
2. Quel âge a-t-il?
3. Est-ce que Bijou est ambitieux?
4. A quelle heure est-ce que Bijou quitte la maison?
5. Où va-t-il?
6. Quand rentre-t-il?
7. A quoi sa mère s'intéresse-t-elle?
8. Qui dit ⟨⟨miaou, miaou⟩⟩?
9. Qui est-ce que Bijou imite?
10. Qu'est-ce que Bijou étudie à l'école?

III. Questions for oral or written expression.
1. Comment t'appelles-tu?
2. Quel âge as-tu?
3. A quelle heure quittes-tu la maison?
4. Quand rentres-tu?
5. Quelle langue étrangère apprends-tu à l'école?

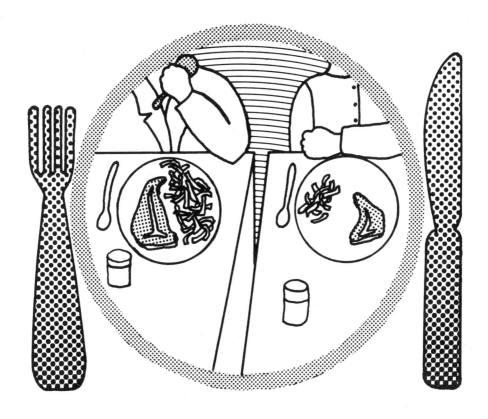

2. La publicité

Je m'appelle Jean Delacroix. Je passe devant un grand restaurant dans la Rue de la Paix. Je vois un monsieur assis° près de l'entrée. Il mange une grosse portion de biffteck pommes frites. J'aime bien le biffteck pommes frites. Ainsi° j'entre dans le restaurant et je m'assieds.° Le garçon me donne la carte et il me demande:

—Que désirez-vous, monsieur? De la viande? Du poisson? Tous nos plats° sont excellents.

—Apportez-moi de l'eau minérale,° s'il vous plaît; j'ai soif!° Et apportez-moi un bon biffteck pommes frites parce que j'ai très faim!°

assis seated

ainsi so
je m'assieds I sit down

plats dishes
eau minérale mineral water
j'ai soif I'm thirsty
j'ai très faim I'm very hungry

Après quelques instants, le garçon place une assiette devant moi : un petit bifteck pommes frites sur une petite assiette. Mon appétit est énorme mais la portion est toute petite. Je la regarde avec tristesse.

—Pourquoi est-ce que cette portion est si petite? Ce monsieur près de la fenêtre a une grosse portion. Est-ce qu'il paye plus que moi? Je ne suis pas étranger, monsieur. Je suis de Rouen et je crois que vous essayez° de me tromper.° Je veux parler au propriétaire.

—Je vous assure, répond le garçon, que je ne trompe personne. Vous n'avez pas raison. Mais en ce moment vous ne pouvez pas parler au propriétaire. Il est occupé. C'est lui qui mange le gros bifteck pommes frites.

essayez try
tromper to cheat

I. Complete the numbered sentences to summarize the story.

1.	Jean passe	a)	le propriétaire veut tromper le client.
2.	Jean voit un homme	b)	un bifteck pommes frites.
3.	Jean veut	c)	la grosse portion.
4.	La portion n'est pas	d)	devant un restaurant.
5.	Jean pense que	e)	avec le propriétaire.
6.	Il veut parler	f)	très grosse.
7.	Le propriétaire a	g)	assis près de la porte.

II. Answer the following questions in complete French sentences.
1. Est-ce que Jean est américain ou français?
2. Où est-ce que le monsieur est assis?
3. Qu'est-ce que Jean aime bien?
4. Pourquoi Jean veut-il de l'eau minérale?
5. A-t-il un grand appétit?
6. Pourquoi regarde-t-il son assiette avec tristesse?
7. Que croit Jean?
8. Qui mange la grosse portion, le garçon, le propriétaire ou Jean?

III. Questions for oral or written expression.
1. Es-tu français ou américain?
2. Où es-tu assis?
3. Aimes-tu la cuisine française, chinoise, italienne ou américaine?

4. As-tu un grand appétit?
5. Quand manges-tu?
6. Préfères-tu manger au restaurant ou chez toi?
7. Est-ce que ton professeur essaie de te tromper ou de t'aider?
8. Veux-tu de grosses ou de petites portions?

3. La minute de vérité

Olivier est un jeune Canadien riche et très beau. C'est
un magnifique athlète qui a du muscle. Il joue au
tennis, au football et au hockey sur glace. C'est aussi
un cycliste adroit,° un excellent danseur, un bon   **adroit** skillful
chanteur et un grand bavard°. Quand il joue à l'uni-   **bavard** talker
versité, toutes les jeunes filles viennent au court ou au
stade pour l'admirer. Quand il aide son équipe° à gag-   **équipe** team
ner° le match, tout le monde crie° de joie.   **gagner** to win
  crie shouts
  A la fin du semestre, arrivent les examens. Ce n'est
pas tellement° amusant de regarder les livres. Ainsi,   **tellement** so
Olivier regarde ses muscles. Mais il ne peut pas y
trouver les réponses aux questions. Il a une note° de   **note** grade
cent pour cent.

Il est triste parce qu'il a recu° quarante pour cent en
biologie, cinquante en histoire, dix en mathématiques.
En tout, cent pour cent! Comme il est malheureux! Il
a peur° de dire à son père qu'il doit° quitter l'univer-
sité et trouver une autre école.
   Il envoie° une lettre à son frère avec la triste nou-
velle. Il lui écrit:
   —Prépare papa, s'il te plaît!
   Le lendemain° il reçoit un télégramme:
   —Papa préparé. Prépare–toi!

cependant however
a reçu received

a peur is afraid
doit must

envoie sends

lendemain next day

I. Arrange the phrases to form complete sentences.
1. Olivier est (au football/un athlète/et il joue/magnifique).
2. Toutes les filles (pour l'admirer/au stade/viennent).
3. Il ne (quand/s'amuse/arrivent/pas/les examens).
4. Il devient triste (en biologie/pour cent/parce qu'il/quarante/a reçu).
5. A cause de ses mauvaises notes (trouver/il doit/ une autre/université).
6. Il écrit une lettre (les tristes/à son frère/nouvelles/avec).
7. Le jeune homme veut savoir (préparé/si/est/son père).
8. Papa est préparé, mais (Olivier/veut savoir/si/est préparé/le frère/aussi).

II. Answer the following questions in complete French sentences.
1. Olivier est-il sportif?
2. A quels sports joue-t-il?
3. Qui admire l'athlète?
4. Est-il bon étudiant?
5. Quelle note a-t-il en mathématiques?
6. Olivier va-t-il quitter cette université?
7. A qui écrit-il une lettre?
8. Quand reçoit-il le télégramme?

III. Questions for oral or written expression.
1. Es-tu sportif (sportive)?
2. Assistes-tu aux matchs?
3. Qui admires-tu le plus? ton père, ta mère, ton ami ou ton amie?
4. Aimes-tu étudier?
5. As-tu de bonnes notes en mathématiques?
6. Tes notes de français sont-elles bonnes ou mauvaises?
7. Aimes-tu écrire des lettres?
8. Reçois-tu des lettres ou des télégrammes?

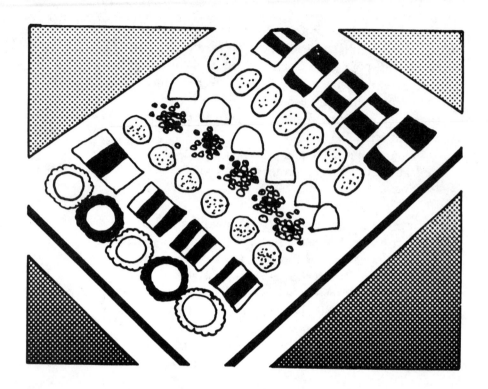

4. Politesse ou intelligence

Madame Bernard fait une visite à son amie Madame
Dubois. Son fils Charles va avec elle. Charlot est trop
petit pour aller à l'école maternelle° et sa mère l'em- **école maternelle**
mène toujours avec elle.   kindergarten

Pour amuser l'enfant, Madame Dubois lui donne un
jeu de cartes.° Le petit garçon commence à jouer. Il **jeu de cartes** deck
fait beau dehors° mais dans la maison il fait trop   of cards
                                                      dehors outside
chaud. Les deux dames prennent le café sur la terrasse.
Elles bavardent.   **bavardent** chat

Charlot voit une boîte° de bonbons sur la table. Il **boîte** box
s'arrête de° jouer et regarde les chocolats et les fruits **s'arrête de** stops
                                                      fruits confits
                                                      sugar- covered fruits

8

confits° sans bruit,° sans parler. Madame Dubois voit **sans bruit** without a sound
que Charlot regarde les bonbons et lui offre la boîte. A
sa grande surprise, le petit tient bon° ses cartes et ne **tient bon** holds on
touche pas les bonbons. Il les regarde avec attention
tout de même.° **tout de même** all the same

—Je sais que tu es un garçon très poli, dit Madame
Dubois. C'est par politesse que tu ne prends pas de
bonbons. Voilà, je vais t'en donner moi-même.

Elle met la main dans la boîte et prend beaucoup de
bonbons. Le garçon laisse tomber° les cartes et accepte **laisse tomber** drops
les chocolats avec plaisir.

—Merci beaucoup, madame, dit-il. Je vous remer-
cie° bien. Mais ce n'est pas par politesse que je ne **remercie** thank
prends pas de bonbons moi-même. Ma main est très
petite, mais la vôtre est beaucoup plus grande que la **la vôtre** yours
mienne.° **la mienne** mine

I. Indicate whether each statement is true (vrai) or false (faux).
1. Madame Bernard fait une visite à Charlot.
2. Charlot accompagne sa mère parce qu'il est intelligent.
3. Le petit garçon joue aux cartes.
4. Les dames ne prennent pas le café dans la maison parce qu'il fait chaud.
5. Le garçon regarde les chocolats sans parler.
6. Madame Dubois offre des chocolats au garçon parce qu'elle le trouve poli.
7. Elle lui donne peu de bonbons.
8. Charlot ne prend pas de bonbons de la boîte parce que la main de Madame Dubois est plus petite que sa main.

II. Answer the following questions in complete French sentences.
1. Pourquoi Charlot va-t-il avec sa mère?
2. Que fait le garçon dans la maison?
3. Pourquoi les dames prennent-elles le café dehors?
4. Que font-elles?
5. Pourquoi le garçon s'arrête-t-il de jouer?
6. Charlot aime-t-il les bonbons?
7. Combien de bonbons est-ce que Madame Dubois prend dans la boîte?
8. Pourquoi Charlot ne prend-il pas de chocolats lui-même?

9

III. Questions for oral or written expression.
1. A qui fais-tu des visites?
2. Que fais-tu après les cours? Travailles-tu ou joues-tu aux cartes?
3. Prends-tu du café, du thé ou du lait?
4. A quoi t'amuses-tu? A jouer au football, à danser ou à chanter?
5. T'arrêtes-tu de jouer quand tu as faim ou quand tu veux travailler?
6. Aimes-tu les bonbons?
7. Manges-tu beaucoup de bonbons?
8. Est-ce que ta main est plus grande que la main de ton père?

5. Un charlatan

Le docteur Bernard a très peu de clients. Un jour son infirmière° lui annonce:

—Docteur Bernard, il y a un malade dans la salle d'attente.°

—Donnez-lui le numéro dix et faites–le° entrer dans une demi-heure, dit le médecin. De cette façon° il pensera que j'ai beaucoup de travail.

Enfin, le malade entre dans le cabinet du docteur Bernard.

Le médecin:—Qu'avez-vous, monsieur?

Le malade:—J'ai toujours mal à la tête et je ne peux pas supporter° la lumière du soleil.° Je crois que je ne vais pas bien du tout.

infirmière   nurse

salle d'attente
  waiting room
faites-le   have him
de cette façon   that
  way

supporter   to bear
lumière du soleil
  sunlight

Le médecin:—Tirez la langue, s'il vous plaît. (Le **tirez** stick out
monsieur ouvre la bouche.)

Le docteur examine la langue° et dit: **langue** tongue

—Monsieur, je ne vais pas vous donner de médicaments. Je crois que vous vous reposez trop. Je vous
conseille° de faire de longues promenades tous les **conseille** advise
jours, au lieu de° dormir l'après-midi. **au lieu de** instead of

—Je ne peux pas, docteur. Je ne peux pas supporter
la lumière du soleil.

—Bien alors, promenez-vous le soir.

—Mais je marche déjà beaucoup.

—Très bien, mais il faut encore marcher.

—Mais, docteur, mon travail. . .

—Si votre occupation ne vous permet pas de marcher autant, changez de travail. **autant** so much

—Mais docteur. . .

—Si vous en savez plus que moi, pourquoi venez-
vous me voir? A propos, que faites-vous? Etes-vous
ingénieur, avocat°, vendeur, ouvrier°, marchand? **avocat** lawyer **ouvrier** laborer

—Non, monsieur. Je suis gardien° au Louvre et je **gardien** watchman
fais le tour du musée trois fois par nuit.

—Tirez la langue encore une fois, s'il vous plaît.

I. Complete each sentence with the proper phrase in parentheses.

1. Un charlatan est un médecin qui (attend, trompe, aide, regarde) les malades.
2. Le malade attend (trente minutes, une heure, dix minutes, toute la journée) avant de voir le docteur Bernard.
3. Le monsieur a (chaud, froid, mal à la tête, peur).
4. Il n'aime pas (son travail, les promenades, les médicaments, la lumière).
5. Le médecin examine (la langue, la bouche, la main, la tête) du malade.
6. Selon le médecin, le monsieur se repose trop (le matin, l'après-midi, le soir, la nuit).
7. Cet homme marche beaucoup la nuit parce qu'il est (artiste, vendeur, gardien, marchand).
8. Le charlatan est (sincère, correct, malhonnête, malade).

II. Answer the following questions in complete French sentences.
1. Combien de clients a le docteur Bernard?
2. Quel numéro l'infirmière donne-t-elle au malade?
3. Que pensera le malade quand il recevra le numéro?
4. Est-ce que le patient va bien?
5. Quel conseil lui donne le médecin?
6. Le malade aime-t-il le soleil?
7. Quel est le travail du monsieur?
8. Que demande le charlatan à la fin?

III. Questions for oral or written expression.
1. Combien de clients a ton médecin?
2. Prends-tu un numéro chez le médecin? à la boulangerie?
3. Que pensera ta mère si tu ne manges pas?
4. Vas-tu bien ou es-tu malade?
5. Aimes-tu faire des promenades ou préfères-tu te reposer?
6. Qu'est-ce que tu ne supportes pas?
7. Quelle est l'occupation de ton père? de ta mère?
8. Que penses-tu de ce médecin?

6. Un garçon terrible

Le chien commence à hurler parce que Jacques tire° **tire** pulls
la queue du pauvre animal.

    —Jacques! crie la mère. Ne tourmente pas le chien!
Ne lui tire pas la queue.

    —Le chien fait beaucoup de bruit,° mais je ne lui **bruit** noise
tire pas la queue, répond le méchant garçon. Je la tiens
bon, c'est lui qui tire!

    La famille de Jacques habite le village de St.-Pierre
à la Martinique. Le village est agité parce que le volcan,° **volcan** volcano
la montagne Pelée, fume beaucoup. Les parents du
garçon ont peur du volcan parce qu'il peut détruire° **détruire** to destroy
le village. Ils décident d'envoyer l'enfant chez ses

grands-parents qui habitent la ville de Fort-de-France.
Ils vont au quai où le bateau attend.

Pendant le voyage Jacques se tient° mal comme **se tient** behaves
toujours. Les passagers ne peuvent ni se reposer ni
dormir. Le garçon court d'un bout à l'autre° du bateau **d'un bout à l'autre**
et il crie comme un fou.° Le steward est très jeune et from one end to
the other
poli mais il est fâché° contre ce garçon désagréable. **fou** crazy person
Enfin, il lui dit: **fâché** angry

—Sois sage ou va dans ta cabine! Mais l'enfant
continue à courir et à faire du bruit.

Arrivés à Fort-de-France, le steward et tous les
passagers remercient Dieu, car ils ne vont plus voir
Jacques.

Les grands-parents sont très contents de voir leur
petit-fils. Après deux jours, les parents de Jacques re-
çoivent ce télégramme des grands-parents: «Nous
renvoyons Jacques; envoyez-nous la Pelée».

Choose the phrase which correctly completes the sentence.
1. Le chien hurle parce que
   a) Jacques va chez ses grands-parents.
   b) le garçon lui tire la queue.
   c) la mère fait du bruit.
   d) le petit crie.
2. Les parents de Jacques habitent
   a) la montagne Pelée.
   b) Fort-de-France.
   c) la Martinique.
   d) la France.
3. Les passagers sont fâchés parce que Jacques
   a) se tient **bien.**
   b) dit que tout le monde est fou.
   c) reste dans sa cabine.
   d) fait beaucoup de bruit.
4. Le steward trouve que Jacques est
   a) sage.
   b) méchant.

c) fâché.

d) poli.

5. Les grands-parents envoient un télégramme parce qu'ils
   a) préfèrent le volcan à leur petit-fils.
   b) sont contents de voir Jacques.
   c) veulent remercier Dieu.
   d) se fâchent contre le steward.

7. Savoir se taire, c'est beaucoup savoir

Alexandre Robin visite un petit village du Pays Basque dans le sud de la France pour la fête du quinze août. L'après-midi les hommes jouent à la pelote. Le soir, ils dansent le fandango. C'est une danse énergique qui montre que les hommes sont toujours amis après leur partie.° Ils portent une blouse et un pantalon blancs, le béret basque, des espadrilles° et une large ceinture de couleur.

    Alexandre remarque une belle jeune fille qui regarde les danseurs. Il s'approche d'elle et lui dit:

—Mademoiselle, permettez-moi de me présenter. Je

partie game

espadrilles canvas shoes with rope soles

m'appelle Alexandre Robin, étudiant à l'Université de Bordeaux. Voulez-vous danser avec moi?

Parce qu'il est très beau et qu'il parle bien, elle accepte son invitation. Pendant la danse Alexandre essaie de faire une bonne impression sur elle. Il exagère en parlant de ses études (inventées), de sa famille riche (seulement en enfants), de son adresse° athlétique (il joue aux cartes) et de ses belles amies (qui n'existent que dans son imagination). **adresse** ability

La jeune fille, qui est très intelligente, sait tout de suite qu'il ne dit pas la vérité. Elle décide de ne pas lui dire qu'elle le trouve menteur.° **menteur** liar

A la fin de la fête, Alexandre lui demande:

—Puis-je vous accompagner chez vous?

—Non, merci, dit-elle. Ce n'est pas nécessaire. Mon chauffeur m'attend.

—Puis-je vous téléphoner?

—Mais oui, monsieur.

—Quel est votre numéro de téléphone?

—Il se trouve dans l'annuaire° comme tous les numéros. **annuaire** phone book

—Comment vous appelez-vous, mademoiselle?

—Mon nom est dans l'annuaire aussi.

Et sur ces mots, elle s'en va.° **s'en va** goes away

I. Choose the one completion that is NOT true for the story.

1. Pour célébrer la fête du quinze août
   a) on danse.
   b) on joue à la pelote.
   c) on porte un costume typique.
   d) on invente des histoires.

2. Alexandre est
   a) beau.
   b) poli.
   c) honnête.
   d) étudiant.

3. En dansant Alexandre parle
   a) des sports.
   b) de la fête.
   c) des jeunes filles.
   d) de ses parents.
4. Après la fête, la jeune fille
   a) rentre seule.
   b) ne lui donne pas son numéro de téléphone.
   c) ne veut pas le revoir.
   d) lui dit son nom.

II. Match the following names from this story and the previous story with the correct descriptions.

1.	Fort-de-France	a)	un village
2.	la montagne Pelée	b)	un volcan
3.	St.-Pierre	c)	une célébration
4.	l'Université de Bordeaux	d)	un sport
5.	le Pays Basque	e)	une ville
6.	le fandango	f)	une danse
7.	la fête du 15 août	g)	une région en France et en Espagne
8.	la pelote	h)	une école

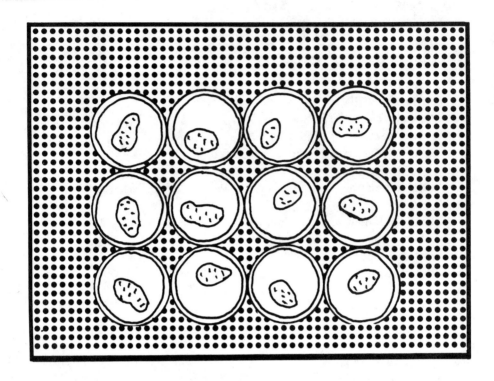

8. Une fiancée nerveuse

Christophe Brunat et Isabelle Lebrun se sont fiancés.
Donc les Lebrun invitent les Brunat à dîner. Madame
Lebrun veut faire une bonne impression. Elle montre
à sa fille comment mettre le couvert° et servir le repas. **mettre le couvert**
to set the table

—Pour servir les légumes, ma fille—dit la mère—
ne les mélange° pas! Mets les légumes sur des assiettes **mélange** mix
différentes.

—Oui, maman—répond Isabelle sans comprendre
ce que sa mère explique.

Quand les Brunat arrivent, Madame Lebrun les
accueille° cordialement: **accueille**
welcomes
—Soyez les bienvenus!° **Soyez les bienvenus!**
You are most
welcome here!

—Faites comme chez vous!—ajoute° Monsieur Lebrun. **ajoute** adds

Ils s'asseyent tous dans le salon et Monsieur Lebrun offre l'apéritif.

—A votre santé!°—disent-ils avant de le boire. **A votre santé!** To your health!

Puis ils entrent dans la salle à manger où Madame Lebrun sert des escargots.° **escargots** snalls

—Isabelle, dit sa mère, Apporte maintenant le rôti, les pommes de terre et les haricots verts.° **haricots verts** string beans

La jeune fille va dans la cuisine, mais elle revient après quelques instants.

—Maman—dit-elle à voix basse°—je suis si nerveuse, veux-tu m'aider? **à voix basse** in a soft voice

En entrant dans la cuisine, la mère est étonnée de voir qu'il y a une douzaine d'assiettes sur la table, et dans chacune° une seule pomme de terre. **chacune** each one

—Regarde, maman. Pour mettre les légumes sur différentes assiettes, il en faut une cinquantaine pour servir les haricots.

I. Match each event with an appropriate expression.
1. Une invitation à dîner
2. Pour mettre le couvert
3. Pour servir les légumes
4. L'arrivée des invités
5. Un toast
6. En mangeant les escargots
7. Pour servir l'entrée
8. Isabelle est troublée
9. Maman est surprise

a) —Apporte le rôti.
b) —Oh, là, là!
c) —La fourchette est à gauche de l'assiette.
d) —Ils sont délicieux, madame.
e) —Soyez les bienvenus!
f) —Venez chez nous vers 7 h 30.
g) —Aide-moi, maman.
h) —A votre santé!
i) —Ne les mélange pas.

II. Answer the following questions in complete French sentences.
1. Qui a-t-on invité à dîner?
2. Qu'est-ce qu'Isabelle apprend à faire?
3. Quels sont les deux légumes?
4. Que dit-on pour accueillir les invités?
5. Où prennent-ils l'apéritif?

6. Quelle viande sert-on?
7. Pourquoi Mme LeBrun va-t-elle à la cuisine?
8. Isabelle est-elle nerveuse?

III. Questions for oral or written expression.
1. Sais-tu mettre le couvert?
2. Qui met le couvert chez toi? Qui sert le repas?
3. Chez toi, mélange-t-on les légumes?
4. Aimes-tu les escargots? le rôti? les légumes?
5. Quel est ton dîner favori?
6. Vers quelle heure dînes-tu?
7. Combien d'assiettes emploie-t-on pour le dîner chez toi?
8. Comment est-ce que tes parents accueillent tes amis?

9. Bon appétit!

Monsieur Jones va en France pour la première fois.° **fois** time
Il va y passer un mois. Il passe la première semaine de
ses vacances dans un hôtel à Paris tout près du Jardin° **jardin** garden
des Tuileries. Ce lundi, il se lève de bonne heure pour
flâner° dans les petites rues et sur les grands boulevards **flâner** to stroll
de cette belle ville. Il visite les musées, les grands ma-
gasins, les boutiques,° les théâtres, les cafés, les églises **boutiques** small shops
et tous les autres bâtiments.° L'après-midi il trouve une **bâtiments** buildings
chaise dans le jardin et il s'amuse à regarder les enfants
qui jouent avec leurs bateaux dans le bassin.° Vers **bassin** pool of water
huit heures il va dîner dans le restaurant de l'hôtel. Il
se met à table° avec un monsieur distingué. Le mon- **se met à table** sits down to eat
sieur se lève et dit à M. Jones:

23

—Bon appétit!
Monsieur Jones, qui ne parle pas français, répond:
—Sam Jones!
Tous les deux dînent en silence parce que le Français ne parle pas anglais.
Le lendemain M. Jones s'assied à la même table.
—Bon appétit! dit le Français.
Et M. Jones répond:
—Sam Jones!
Après le repas, l'Américain rencontre° un ami qui parle bien le français, et lui raconte° cette histoire. Son ami explique que ⟨⟨Bon appétit⟩⟩ n'est pas le nom du monsieur. C'est une formule de politesse qui veut dire° ⟨⟨je vous souhaite° un repas délicieux⟩⟩. Monsieur Jones est bien content de l'apprendre.

Le troisième jour Sam Jones se met à table à huit heures moins le quart. En voyant le monsieur distingué, M. Jones se lève tout de suite et dit amicalement:°
—Bon appétit!
En entendant ces mots, le monsieur répond avec un grand sourire:
—Sam Jones!

rencontre meets
raconte tells
veut dire means
souhaite wish
amicalement in a friendly way

I. Indicate whether each statement is true (vrai) or false (faux). Find phrases in the story that support your answer.
1. Monsieur Jones visite la France une fois par mois.
2. Il aime flâner dans les rues de Paris.
3. Il se repose dans le jardin avant de dîner.
4. Le monsieur à sa table dit que les repas à l'hôtel sont excellents.
5. Monsieur Jones croit que le Français s'appelle M. Bonappétit.
6. Un ami de Sam Jones lui dit que ⟨⟨Bon appétit⟩⟩ est une formule de politesse.
7. Monsieur Jones hésite à employer cette nouvelle expression.
8. Le monsieur français ne sait pas ce que ⟨⟨Sam Jones⟩⟩ veut dire.

II. Answer the following questions in complete French sentences.
1. D'où vient M. Jones? de France ou des États-Unis?
2. Quelle ville visite-t-il d'abord?
3. Où habite-t-il à Paris?

4. Où dîne-t-il?
5. Qui est assis à sa table?
6. Que dit le Français à M. Jones?
7. Qui parle deux langues?
8. Que répond le monsieur quand M. Jones lui dit ⟨⟨Bon appétit!⟩⟩?

III. Questions for oral or written expression.
1. Quel pays habites-tu?
2. Quelle ville habites-tu?
3. Aimes-tu passer les vacances dans un hôtel ou chez des amis?
4. Avec qui déjeunes-tu à l'école?
5. Combien de personnes y a-t-il à ta table?
6. Que disent tes amis avant de manger?
7. Quelles langues parles-tu?
8. Quelles autres formules de politesse connais-tu en français?

10. Le contestataire°

contestataire
protester

On dit que nous vivons dans une démocratie. Mais chez moi c'est toujours la monarchie. Mon père est le roi° et sa femme, ma mère, est la reine.° Ma soeur aînée° est la princesse, mon frère cadet° est le prince et moi—un garçon de huit ans—je suis l'esclave.°

Quand la reine a besoin de quelque chose de l'épicerie°—une bouteille de lait, par exemple—qui doit aller la chercher? L'esclave! Quand le roi enlève les ordures,° qui doit lui ouvrir la porte? L'esclave. Quand le roi et la reine veulent aller au cinéma, qui doit garder le petit prince? L'esclave. On ne me laisse jamais en paix.°

roi king
reine queen
aînée older
cadet younger
esclave slave

épicerie grocery store

ordures garbage

paix peace

Voilà, j'entends la reine qui crie:

—Thomas, ne taquine° pas le bébé! (Le bébé a **taquine** bother
déjà cinq ans.)

—Mais il me jette° ses jouets° au nez, maman. **jette** is throwing
jouets toys
—Il est plus petit que toi.

—Thomas, couche-toi. Il est neuf heures, crie le roi.

—Mais papa, je veux regarder la télévision jusqu'à
onze heures comme Marthe.

—Marthe a dix ans. Elle est plus grande que toi.

Un jour de fête, le Mardi Gras (en février), tous
mes parents arrivent—les grands-parents, les oncles,
les tantes et les cousins. A qui apportent-ils des jouets?
Au prince. Et qui est leur chouchou?° Le prince. **chouchou** favorite

—Regardez, regardez! disent-ils. Il a les yeux bleus
de sa mère, la grande bouche de son père, les cheveux
blonds de son grand-père et les petites oreilles de sa
grand-mère.

—Et il a aussi le pantalon d'occasion° de l'esclave, **d'occasion**
je me dis avec tristesse. second-hand

I. Place the words in parentheses in the blanks according to the meaning of
the story.

1. (démocratie/monarchie) On dit que Thomas vit dans une _____ mais
il pense que c'est une _____.

2. (âgé/jeune) Thomas est plus _____ que sa soeur et plus _____ que
son frère.

3. (le chouchou/l'esclave) Thomas est _____ pendant que son frère est
_____ de la famille.

4. (tard/tôt) Thomas se couche très _____ mais sa soeur se couche plus
_____.

5. (des cadeaux/un pantalon d'occasion) Les parents donnent _____ au
bébé et Thomas lui donne _____.

II. Answer the following questions in complete French sentences.

1. Comment Thomas trouve-t-il sa famille?
2. Qui est le roi chez lui?
3. Qu'est-ce que c'est que son jeune frère?
4. Comment Thomas aide-t-il sa mère?

5. Qui se charge d'enlever les ordures?
6. A quelle heure est-ce que Marthe se couche?
7. Qui reçoit des cadeaux?
8. D'où vient le pantalon du bébé?
9. Pourquoi Thomas est-il contestataire?

III. Questions for oral or written expression.
1. Quelle sorte de gouvernement avons-nous aux Etats-Unis?
2. Où continue la monarchie? Où y a-t-il un système communiste?
3. Qui est le roi chez toi?
4. Quel est ton rôle?
5. Qui enlève les ordures chez toi?
6. Jusqu'à quelle heure regardes-tu la télé?
7. Quand reçois-tu des cadeaux? Quand en donnes-tu?
8. Portes-tu des vêtements d'occasion? D'où viennent-ils?
9. Es-tu contestataire ou conservateur/conservatrice?

11. Comment les enfants apprennent-ils?

Marguerite est en train d'étudier parce que demain elle va passer un examen.° Son père lit le journal, assis dans son fauteuil.°

—Papa, dit-elle timidement. Puis-je te poser quelques questions? Je veux réussir°mon examen de géographie.

—Bien sûr. Que veux-tu savoir?—dit le père en posant son journal.

—Kinshasa est la capitale de quel pays?

—Le Congo, répond le père.

—Non, papa. Dis-moi le nouveau nom du pays.

—Je ne me rappelle pas cela. Je regrette.

passer un examen to take a test
fauteuil armchair

réussir to pass

—Papa, qu'est-ce que c'est qu'un okapi?°

—Ca, je sais. Je l'ai sur le bout de la langue mais je viens de l'oublier.°

—Papa, qu'est-ce que c'est que le Katanga?°

—Le katanga? Je crois que c'est un animal mais je ne sais pas où il habite.

Marguerite se tait,° fatiguée de poser des questions sans avoir des réponses correctes. Son père commence à croire qu'elle a quelque chose.°

—Qu'y a-t-il, ma chérie?

—Rien, papa.

—Plus de questions? As-tu fini tes devoirs,° ma petite?

—J'ai beaucoup de questions, papa, mais je ne veux pas t'ennuyer. Je ne devrais pas t'ennuyer avec mes problèmes quand tu lis le journal et tu veux te reposer.

Le père laisse tomber° son journal et dit:

—Ne sois pas bébête!° N'aie pas peur de me poser des questions! Aie confiance en moi! Eh bien, si tu ne me poses pas de questions, comment vas-tu apprendre?

okapi animal found in Zaïre related to the giraffe
oublier forget
Katanga region rich in minerals

se tait keeps quiet

elle a quelque chose something's the matter with her

devoirs homework

laisse tomber drops
bébête silly

I. Complete the sentences to form a summary of the story.
1. Marguerite prépare une leçon de _____. (biologie/français/géographie)
2. Elle a un examen _____. (aujourd'hui/demain/la semaine prochaine)
3. Son père est en train de _____. (travailler/lire/parler)
4. Kinshasha est _____. (une nation/un fleuve/une ville)
5. Son père pense que le Katanga est _____. (un animal/une capitale/un habitant)
6. Il donne des réponses _____ à ses questions. (bêtes/correctes/intelligentes)
7. La fille _____ poser des questions. (a peur de/cesse de/continue à)
8. Le père ne peut pas _____ sa fille. (aider/ennuyer/avoir confiance en)

II. Answer the following questions in complete French sentences.
1. Quand est l'examen de géographie?
2. Que fait le père de Marguerite?
3. Pourquoi pose-t-elle des questions à son père?

4. Le Congo, est-ce le nouveau ou l'ancien nom d'un pays africain?
5. Le père sait-il bien la géographie?
6. Qu'est-ce qu'il a sur le bout de la langue?
7. Pourquoi est-ce que Marguerite ne pose plus de questions?
8. Finit-elle ses devoirs?
9. Quelle excuse donne-t-elle à son père?
10. A-t-elle confiance en son père?

III. Questions for oral or written expression.
1. Aimes-tu passer un examen?
2. Y réussis-tu en général?
3. Quand échoues-tu à un examen?
4. Y a-t-il un fauteuil chez toi? Qui est-ce qui s'y assied toujours?
5. Comment apprends-tu les nouvelles?
6. Sais-tu le nouveau nom du Congo?
7. Qu'est-ce qu'un okapi?
8. Qu'est-ce que le Katanga?
9. Qui t'aide à faire tes devoirs de français? de mathématiques? de géographie?

12. Je ne comprends pas

Un Américain très riche est fatigué de travailler. Il vient
de vendre° son entreprise. Un de ses amis l'invite à lui
faire une visite en France. L'Américain va à l'aéroport,
achète un billet° d'avion et arrive à Lyon après un vol
de neuf heures. Il admire la cathédrale et les autres
vieux bâtiments de la ville.

    Le lendemain il voit des gens qui sortent d'une
église. Qu'est-ce qui se passe? C'est un mariage. Evidemment il veut savoir qui vient de se marier. En
anglais il demande le nom du nouveau marié à un
Français. Le Français ne le comprend pas. Le Français hausse les épaules° et répond:

vient de vendre
has just sold

billet ticket

hausse les épaules
shrugs his
shoulders

—Monsieur, je ne comprends pas.

L'Américain décide que le marié s'appelle Jene Comprendspas.

Vers midi il rencontre un autre groupe de gens dans la rue. Un homme est tombé° par terre, le visage° couvert de sang,° victime d'un accident.

tombé fallen
visage face
sang blood

—Qui est cet homme? demande-t-il en anglais.

Et on lui donne la même réponse:

—Monsieur, je ne comprends pas.

L'Américain devient° triste et pense: —Le pauvre! Il est marié depuis si peu de temps et maintenant il meurt.

devient becomes

L'après-midi il remarque un cortège funèbre.° Il s'approche d'une dame qui pleure amèrement.° Il pose la même question. La dame répond sans cesser de pleurer.

cortège funèbre
funeral procession
amèrement bitterly

—Mon . . . sieur, . . . je . . . ne . . . com . . . prends pas.

L'Américain étonné crie:

—Je ne peux pas le croire! Le pauvre Monsieur Jene Comprendspas, marié, victime d'un accident et mort, tout cela en un seul jour.

I. Complete the numbered sentences to summarize the story.

1. Un homme d'affaires américain
2. Il voyage à Lyon
3. Le lendemain il voit
4. Quand il demande comment s'appelle le marié
5. Il croit que M. Jene Comprendspas
6. A midi il voit
7. Il est triste de trouver
8. Quand il demande le nom du mort
9. Il croit que M. Jene Comprendspas

a) se marie et meurt le même jour.
b) la victime d'un accident.
c) vient de se marier.
d) on répète le nom:—Je ne comprends pas.
e) un mariage devant une église.
f) que c'est le jeune marié.
g) quitte son travail et va en France.
h) on répond:—Je ne comprends pas.
i) en avion.

II. Answer the following questions in complete French sentences.
1. Pourquoi l'Américain vend-il son entreprise?
2. Comment va-t-il en France?
3. Où voit-il le mariage?
4. Pourquoi lui répond-on toujours: —Je ne comprends pas?
5. Que veut dire ⟨⟨Je ne comprends pas⟩⟩ selon l'Américain?
6. Pourquoi devient-il triste en voyant un accident?
7. Que fait la dame dans le cortège funèbre?
8. Selon l'Américain, qu'est-ce qui se passe en un seul jour?

III. Questions for oral or written expression.
1. Comment préfères-tu aller en France? en avion ou en bateau?
2. Comment vas-tu à Miami? en voiture, en autobus, en avion ou par le train?
3. Combien de temps faut-il pour le voyage?
4. Comment dit-on ⟨⟨Je ne comprends pas⟩⟩ en anglais, en italien ou en espagnol?
5. Y a-t-il beaucoup d'accidents dans les rues de ta ville?
6. Pleures-tu quand tu as de mauvaises notes? quand tes parents te disent ⟨⟨non⟩⟩?
7. Est-il important d'apprendre une seconde langue?

13. La pharmacie

Monsieur Girard travaille dans une pharmacie. Il habite le village de Jeumont près de la frontière° franco-belge. C'est un homme assez important. Tous les gens du village demandent son conseil quand ils ont des ennuis.° Pour les habitants de Jeumont, M. Girard est plus qu'un pharmacien; il est aussi médecin, avocat et ami.

    Le petit Georges, un gosse° de huit ans, entre dans la pharmacie en courant et demande un médicament pour le mal d'estomac. Le pharmacien, sans examiner le garçon, lui donne un verre de liquide jaune.

frontière border

ennuis worries, problems

gosse kid

35

—Bois-le tout de suite, Georges. Vide-le.°   **vide-le** drink it all up

—Mais monsieur Girard. . . . , dit le garçon en essayant d'expliquer quelque chose.

—Je n'ai pas le temps de discuter. Bois-le. Si tu as quelque chose à dire, parle-moi plus tard. J'attends.

Le garçon commence à boire d'un air° malheureux.   **air** look
Il regarde tristement M. Girard qui crie:

—Enfin, bois-le !

Quand il n'y a plus de médicament dans le verre, M. Girard dit à Georges:

—Très bien, mon petit. Maintenant tu peux me parler. Qu'as-tu à dire?

—Monsieur Girard—dit le garçon. Vous vous êtes trompé.° Ce n'est pas moi qui ai mal à l'estomac. C'est   **vous vous êtes trompé** You made a mistake
mon petit frère qui est malade.

Choose the phrase which correctly completes the sentence.
1. Dans une pharmacie on vend
   a) des verres.
   b) des médicaments.
   c) des boissons.
   d) des pharmaciens.
2. Georges
   a) a mal à l'estomac.
   b) demande quelque chose à boire.
   c) aime le liquide jaune.
   d) cherche un remède pour le mal d'estomac.
3. Monsieur Girard
   a) examine l'estomac de Georges.
   b) discute le médicament avec Georges.
   c) boit quelque chose pour un mal d'estomac.
   d) donne quelque chose pour l'estomac à Georges.
4. Le pharmacien insiste pour que Georges vide le verre parce que (qu')
   a) il a besoin du verre.
   b) il sait que le petit a soif.
   c) le garçon hésite à le boire.
   d) il a quelque chose à lui dire.

5. Georges a l'air triste parce qu'il
   a) cherche le médicament pour son frère.
   b) a très mal à l'estomac.
   c) veut boire plus de liquide.
   d) veut tromper le pharmacien.

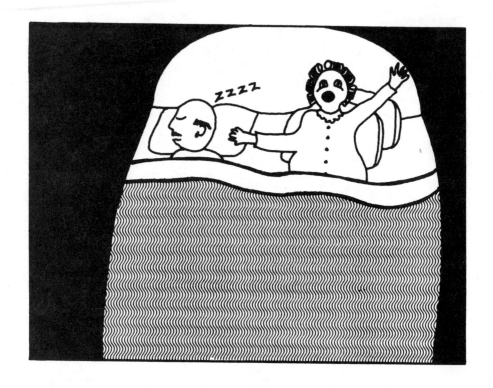

14. A quoi bon les voleurs? I

Monsieur Dumontier est propriétaire d'un magasin
où l'on vend des instruments de musique. Ses journées
sont pénibles° parce qu'il trouve insupportable cette **pénibles** weari-some
musique moderne qu'il doit écouter. Le soir quand il
rentre à la maison, il désire le silence. Mais c'est impossible: sa fille téléphone à ses amis; son fils joue du
tambour,° des cymbales et de la guitare électrique. **tambour** drum
Madame Dumontier joue du piano; le chien aboie pour
accompagner les autres musiciens.

    Enfin, Dieu merci, c'est l'heure de se coucher. Mon- **épuisé** exhausted
sieur Dumontier, épuisé,° s'endort° immédiatement. A **s'endort** falls asleep
deux heures du matin, sa femme le réveille.° **réveille** wakes

—François, lève-toi! Il y a des voleurs° dans la **voleurs** robbers
maison.
—Ah non, Thérèse. Comment le sais-tu? demande-
t-il.
—Ne perds pas de temps° à me poser des questions! **ne perds pas de temps** don't
Je te dis qu'il y a des voleurs dans la maison. Ils peu- waste time
vent nous tuer° pendant que° tu m'ennuies avec tes **tuer** to kill
questions ridicules. Tu as peur de protéger ta famille, **pendant que** while
peut-être?
—Mais comment sais-tu qu'il y a des voleurs ici?
—Je peux les entendre, répond-elle, furieuse.
—Ne sois pas bête, Thérèse. Les voleurs ne font pas
de bruit.
Quelques minutes plus tard, Mme Dumontier réveille
de nouveau° son mari. **de nouveau** again
—François, lève-toi! Je suis sûre qu'il y a des voleurs
dans la maison.
—Je t'ai déjà dit que les voleurs ne font pas de bruit.
—C'est pourquoi je suis sûre maintenant qu'ils sont
dans la maison: je n'entends rien.

Choose the phrase which correctly completes the sentence.
1. Monsieur Dumontier aime bien
   a) écouter les instruments de musique.
   b) se reposer dans un endroit tranquille.
   c) la musique moderne.
   d) les journées pénibles au magasin.
2. Il n'a pas de silence chez lui parce que (qu')
   a) son fils joue du piano.
   b) sa fille aboie.
   c) il y a beaucoup de bruit.
   d) sa femme parle continuellement.
3. Pendant la nuit M. Dumontier
   a) se réveille.
   b) est réveillé par sa femme.
   c) entend des voleurs.
   d) écoute encore la musique.

4. Madame Dumontier a peur
   a) des voleurs.
   b) de son mari.
   c) des questions bêtes.
   d) de sa famille.

5. A la fin elle croit qu'il y a des voleurs parce que (qu')
   a) ils veulent la tuer.
   b) son mari a peur.
   c) ils font du bruit.
   d) ils ne font pas de bruit.

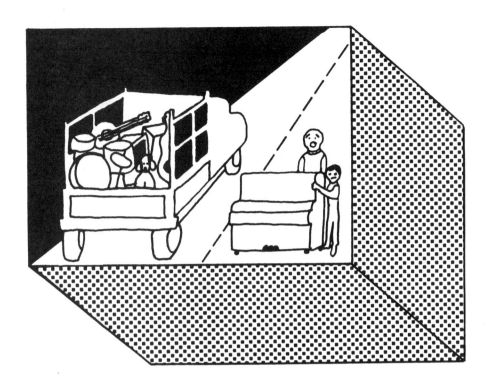

15. A quoi bon les voleurs? II

Monsieur Dumontier ne veut ni critiquer la logique de
sa femme ni quitter son lit. Il veut tout simplement
dormir. Mais son épouse ne le laisse pas dormir. En-
fin il se lève, met ses pantoufles° et prend son fusil.° **pantoufles** slippers
Très lentement il avance vers le salon. Il ouvre la porte **fusil** gun
mais reste prudent. Devant lui, il y a deux hommes. Ils
mettent les instruments de musique de son fils dans de
grands sacs. Le chien féroce, qui aboie toute la journée,
dort dans un fauteuil.

Quand les voleurs aperçoivent° le propriétaire, le **aperçoivent**
fusil à la main, ils commencent à s'inquiéter et ils ont **notice**
très peur! Ils laissent tomber les sacs et lèvent les mains.

—Je vous en prie, monsieur. Ne tirez° pas! dit le **tirez** shoot premier voleur.

—Nous sommes des voleurs décents. Nous n'entrons que dans des maisons décentes! dit l'autre voleur.

—Silence! crie monsieur Dumontier.—Ne dites pas de bêtises! Si vous ne voulez pas aller en prison, écoutez-moi bien. Téléphonez à vos copains. Dites-leur de venir tout de suite avec un camion° pour enlever le **camion** truck piano. Du reste, avant de sortir de ma maison, prenez aussi le téléphone et le chien.

Choose the phrase which correctly completes the sentence.

1. Quand sa femme l'appelle, monsieur Dumontier veut
   a) se lever.
   b) parler avec elle.
   c) aller dans le salon.
   d) rester au lit.
2. Il va au salon avec
   a) un fusil.
   b) son fils.
   c) son chien féroce.
   d) sa femme.
3. Le chien n'aboie plus parce qu'
   a) il aime les voleurs.
   b) il est dans le sac avec les instruments.
   c) il dort.
   d) il est féroce et sauvage.
4. Les deux hommes ont peur
   a) du chien.
   b) du fusil.
   c) de leurs camarades.
   d) de leurs sacs.
5. Pour ne pas aller en prison, les voleurs doivent
   a) enlever madame Dumontier et le chien.
   b) laisser tous les instruments dans le salon.
   c) donner un camion à monsieur Dumontier.
   d) emporter le téléphone, les instruments de musique et le chien.

16. Quelle soupe excellente!

Un jour d'automne, un vagabond frappe à la porte chez un paysan° dauphinois. Il a une faim de loup.°

—Monsieur, dit le vagabond—je vous en prie! J'ai très froid. Permettez-moi d'entrer pour me chauffer.° Il fait très froid aujourd'hui.

Le paysan lui permet de s'asseoir devant le four° où il y a une marmite° d'eau bouillante. Le vagabond sort un bâton° court de sa poche et dit à la paysanne:

—Madame, puis-je mettre ce bâton dans l'eau pour en faire une soupe?

—Faire de la soupe au bâton? dit-elle, fort surprise. Bien sûr!

paysan peasant
a une faim de loup is ravenously hungry
me chauffer to get warm
four stove
marmite pot
bâton stick

Après quelques minutes le vagabond demande un oignon pour la soupe. Puisque ça ne coûte pas cher, la paysanne lui donne un oignon. Le vagabond voit qu'elle s'intéresse beaucoup à sa soupe délicieuse. Il demande ensuite et reçoit aussi une pomme de terre, un morceau de viande, des haricots, des petits pois, du lard° et toutes sortes d'autres légumes. A la fin il demande même du sel, du poivre° et du pain. Il se met à table et il mange la soupe délicieuse. Ensuite il lave le bâton et le donne à la paysanne.

Le paysan, en colère° devant cette tromperie,° dit:

—Je donne à manger à ma vache° parce qu'elle me donne du lait, du fromage et du beurre. Mais ça ne me plaît pas du tout de nourrir° les mendiants.°

Alors il saisit° son fusil et dit au vagabond:

—Prends cette hache° près de la porte et va couper° du bois. Sinon je vais tirer.

Au coucher du soleil, le paysan donne un morceau de bois au vagabond et lui dit:

—Maintenant tu as un autre bâton pour en faire une soupe merveilleuse. Mais si tu tiens à la vie, prépare ta soupe chez un autre la prochaine fois.

lard bacon

poivre pepper

en colère angry
tromperie trickery
vache cow

nourrir to feed
mendiants beggars
saisit seizes
hache axe
couper cut

I. Indicate whether each statement is true (vrai) or false (faux).
1. Un vagabond arrive chez un paysan.
2. Le vagabond veut manger quelque chose parce qu'il a faim.
3. Le paysan ne permet pas au vagabond d'entrer dans la maison.
4. Le vagabond veut préparer de la soupe avec un bâton.
5. La paysanne lui donne un oignon.
6. Les paysans mangent la soupe et ils la trouvent délicieuse.
7. Selon le paysan, il faut que les hommes et les animaux travaillent pour leur nourriture.
8. Le paysan saisit son fusil.
9. Le vagabond offre de couper du bois pour payer son repas.
10. Le vagabond ne va plus tromper ce paysan.

II. Answer the following questions in complete French sentences.
1. Quelle est la saison?

2. Quel temps fait-il ce jour-là?
3. Pourquoi le vagabond veut-il entrer?
4. Que va-t-il faire avec le bâton?
5. Quel légume demande-t-il d'abord?
6. Qu'est-ce qu'il y a dans cette soupe merveilleuse?
7. Qui mange la soupe?
8. Pourquoi le paysan est-il fâché?
9. Que va faire le paysan si le vagabond ne veut pas couper de bois?
10. Qui se tire mieux de cette affaire, le paysan ou le vagabond?

III. Questions for oral or written expression.
1. Quel temps fait-il aujourd'hui?
2. Quel temps fait-il en automne?
3. Quelle soupe préfères-tu? la soupe à l'oignon, aux légumes, aux tomates?
4. Aimes-tu les oignons? Les préfères-tu crus ou cuits?
5. Quels légumes est-ce que tu n'aimes pas?
6. Comment aides-tu tes parents?
7. Faut-il que tu coupes du bois?
8. Comment est-ce que Georges Washington a coupé le cerisier?
9. Qu'est-ce qui met en colère ton père ou ta mère?
10. Que penses-tu de la vie d'un vagabond?

17. Le pourboire

J'ai décidé d'apprendre le français parce que je ne veux pas tromper quelqu'un d'autre, comme j'ai trompé ce pauvre garçon, sans le vouloir. Pendant les vacances, je suis descendu° dans un bon hôtel sur la Côte d'Azur. Le climat était très agréable, les repas excellents et les gens sympathiques. J'ai passé des heures près de la piscine° à bavarder et à écouter les chants des oiseaux.

 L'heure de rentrer aux États-Unis est arrivée bien trop tôt. Je venais de° monter dans l'autocar où le porteur avait mis mes valises. J'ai entendu une voix. C'était le jeune homme qui me disait:

suis descendu stayed

piscine swimming pool

venais de had just

—Et le pourboire,° s'il vous plaît, monsieur! **pourboire** tip
Parce que je ne savais pas ce mot, je lui ai montré
mon passeport.
—Non, monsieur! il a répété. Le pourboire!
J'ai sorti mon permis de conduire° mais le porteur a **permis de conduire**
driver's license
répété les mêmes mots: —Le pourboire!
Le chauffeur a fermé la porte de l'autocar pendant
que moi, je cherchais le pourboire dans toutes mes
poches. L'autocar a démarré° lentement. Par la fenêtre **a démarré** started
off
j'ai montré ensuite mon certificat de vaccination et ma
carte de sécurité sociale au garçon, mais il nous a suivis° **a suivis** followed
en criant:
—Mon pourboire, mon pourboire!
L'autocar a roulé° plus rapidement. De loin j'ai vu **a roulé** traveled
le porteur qui criait en courant:
—Mon pourboire, mon pourboire!
J'ai l'intention de retourner sur la Côte d'Azur
l'année prochaine pour payer ce pauvre gars. On m'a
dit qu'il court toujours le long de la rue en criant:
—Mon pourboire, monsieur, mon pourboire!

I. Complete each sentence with the proper phrase in parentheses.
1. Le narrateur est allé (aux-États-Unis/en Espagne/en France/à Paris).
2. Il a passé son temps à (marcher/nager/causer/voyager).
3. Le porteur a aidé l'Américain pour (les bagages/le billet/le passeport/le repas).
4. Pour son travail, le garçon a demandé (de l'argent/une boisson/une montre/les valises).
5. L'Américain ne savait pas le mot (《carte》/《certificat》/《passeport》/《pourboire》).
6. Il a cherché (une carte de crédit/un permis de conduire/de la monnaie/le pourboire).
7. L'Américain a continué à parler avec le porteur (devant l'autocar/par la fenêtre/par la porte/dans la rue).
8. Au commencement l'autocar allait (sur la Côte d'Azur/lentement/vite).
9. Le garçon (a couru après l'autocar/est entré dans l'autocar/a pleuré/a remercié le monsieur).

10. L'Américain a trompé le jeune homme parce qu'il (n'aime pas les garçons/n'a plus d'argent/ne va jamais le revoir/ne comprend pas le français).

II. Answer the following questions in complete French sentences.
1. Pourquoi le narrateur va-t-il étudier le français?
2. Où a-t-il passé ses vacances?
3. Le climat était désagréable?
4. Comment est-il allé à l'aéroport?
5. Quel service le jeune homme a-t-il rendu?
6. Qu'est-ce que le porteur a demandé?
7. Que lui a montré l'Américain?
8. Qui a conduit l'autocar?
9. Comment l'Américain a-t-il trompé ce jeune homme?
10. Pourquoi veut-il retourner en France?

III. Questions for oral or written expression.
1. Pourquoi as-tu décidé d'apprendre le français?
2. Où aimes-tu passer les vacances?
3. As-tu passé des vacances dans un pays étranger?
4. Où vas-tu nager?
5. Où mets-tu les vêtements quand tu fais un voyage?
6. Qu'est-ce qu'on donne au garçon après un repas au restaurant?
7. A qui donne-t-on des pourboires?
8. De quoi a-t-on besoin pour voyager à l'étranger?
9. De quoi a-t-on besoin pour conduire une voiture?
10. Où vas-tu passer les vacances l'année prochaine?

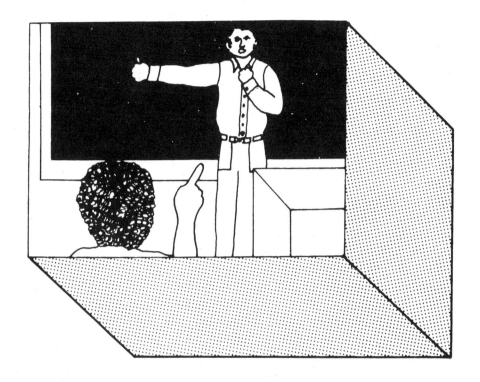

18. La ponctuation

Pierre Ledoux est un jeune homme de vingt-deux ans. Pierre est beau, intelligent et idéaliste. Sa devise° est ⟨⟨Ne maudissez° pas l'obscurité, allumez° plutôt une chandelle⟩⟩. Pierre a fait ses études à l'Université de Clermont-Ferrand et il est devenu professeur. Il est allé enseigner dans un lycée à Champeix.

devise motto
maudissez curse
allumez light

    Le premier jour il s'est présenté à la classe et il a commencé la leçon:

    —Aujourd'hui nous allons étudier l'importance de la ponctuation. Je vais vous expliquer les signes et les règles de la ponctuation.

    Il a commencé avec le point final (.), la virgule (,), le point-virgule (;) et les guillemets (⟨⟨⟩⟩), . . . quand

49

Laurent, le plus mauvais élève de la classe, a posé toutes sortes de questions idiotes.

—Pourquoi faut-il mettre deux guillemets, l'un au commencement de la phrase et l'autre à la fin?

Le professeur savait que Laurent ne s'intéressait pas vraiment à la réponse. Donc, il lui a donné une réponse amusante.

—Nous mettons deux guillemets parce que nous avons deux yeux, un guillemet pour chaque oeil. Cependant, si tu viens à mon bureau après la classe, j'essayerai de te l'expliquer mieux.

Laurent s'est fâché parce qu'il n'a pas pu fâcher le professeur. Cet élève désagréable a continué à poser des questions bêtes, mais il n'a pas réussi à mettre en colère son prof. Puis il a dit à haute voix:

—Je pense que ce professeur est bête.

Toute la classe s'est étonnée, mais le professeur est resté tranquille au lieu de punir le méchant garçon. Il a pris la craie, et il est allé au tableau où il a écrit la phrase suivante: L'élève impoli dit: 《《Ce professeur est bête》》.

—Maintenant je vais changer le sens de la phrase sans changer les mots.

Puis il a pris l'éponge° et la craie pour en faire **l'éponge** eraser une nouvelle phrase:

《《—L'élève impoli—dit ce professeur—est bête》》.

I. Complete the numbered sentences to summarize the story.

1. Le nouveau professeur est	a)	parce qu'on a deux yeux.
2. Il a commencé avec une leçon	b)	il a écrit une nouvelle phrase.
3. Laurent voulait savoir	c)	parce que le professeur ne s'est pas fâché.
4. Le professeur lui a donné		
5. Il y a deux guillemets	d)	des signes de ponctuation.
6. Le mauvais élève s'est fâché	e)	une réponse comique.
7. L'élève impoli a dit que	f)	le professeur était stupide.
8. Au lieu de le punir, le prof	g)	a écrit ce que Laurent a dit.
	h)	jeune, gentil et intelligent.

9. En changeant la ponctuation   i) impoli, bête et désagréable.
10. Le professeur montre que l'élève j) pourquoi il y a deux guillemets.
    est

II. Answer the following questions in complete French sentences.
 1. Où Pierre Ledoux a-t-il fait ses études?
 2. Quelle est sa devise?
 3. Quelle est sa profession?
 4. Qu'est-ce qu'il a enseigné le premier jour?
 5. Pourquoi Laurent a-t-il posé des questions ridicules?
 6. Pourquoi le professeur a-t-il répondu avec humour?
 7. Pourquoi a-t-il invité Laurent à son bureau?
 8. Comment est-ce que Laurent a interrompu la classe la dernière fois?
 9. Qu'est-ce que le professeur a fait au lieu de punir l'élève?
10. Pierre a-t-il réagi selon sa devise? (réagi: react)

III. Questions for oral or written expression.
 1. As-tu déjà choisi une université? Où est-ce?
 2. Qu'est-ce que tu allumes quand il n'y a pas de lumière?
 3. As-tu peur de l'obscurité?
 4. Qu'apprends-tu dans cette classe?
 5. Quelles sortes de questions poses-tu?
 6. Est-ce que ton professeur donne des réponses sérieuses ou amusantes?
 7. Comment peut-on fâcher le professeur?
 8. Comment est ton professeur?
 9. Es-tu étonné, tranquille ou ennuyé quand le professeur te punit?
10. Comment te punit-il?

19. Ici on parle français

Au Canada on parle anglais et français. Officiellement
c'est un pays bilingue mais en réalité on parle l'anglais
plus que le français. Les gens d'expression française
veulent protéger leur langue et leur culture bien qu'ils
parlent anglais. Ils préfèrent donc faire des achats chez
les marchands qui parlent français. Dans beaucoup de
magasins on voit cette enseigne:° «On parle francais».   **enseigne** sign
Quelquefois ce sont les clients qui parlent français, et
souvent le propriétaire ne sait que quelques mots.

    Un commerçant a établi un magasin de confection°   **confection** ready-
dans un quartier francophone. La première semaine   to-wear clothes

personne ne venait acheter des vêtements parce que l'enseigne manquait.° Un de ses amis, un commerçant très sage, lui a dit:

—Si tu veux améliorer° tes affaires, tu devras mettre l'enseigne dans la vitrine.°

—Mais je ne sais ni parler ni écrire un seul mot de cette langue, a déclaré le négociant honnête. Je ne veux tromper personne.

—Pas d'importance, a dit son ami. Je vais venir t'aider demain matin. Nous allons changer quelques mots dans l'enseigne ordinaire.

Le lendemain, cette enseigne extraordinaire a apparu dans la vitrine: ⟨⟨On ne parle pas français ici, mais les prix sont moins chers⟩⟩.

Depuis ce jour-là, le magasin a beaucoup de clients.

manquait was missing

améliorer to improve

vitrine window

I. Complete each sentence with the proper phrase in parentheses.
1. Le Canada est un pays bilingue. Oficiellement on y parle (une langue/ deux langues/plus de deux langues).
2. La majorité parle (anglais/canadien/français).
3. Ce commerçant n'a pas mis (d'enseigne/de robes/de vêtements) dans la vitrine.
4. Le commerçant (parle et écrit/parle mais n'écrit pas/ne comprend pas du tout) le français.
5. Maintenant le commerçant a beaucoup de clients parce que les (vête-ments/enseignes/prix) sont raisonnables.

II. Answer the following questions in complete French sentences.
1. Que parlent les Canadiens?
2. Comment protègent-ils leur culture les gens d'expression française?
3. Où se trouve le magasin du commerçant?
4. Combien de clients a-t-il?
5. Pourquoi est-ce que les clients lui manquent?
6. Pourquoi ne met-il pas d'enseigne dans la vitrine?
7. En quoi est-ce que son enseigne est extraordinaire?
8. Qu'est-ce qui rend heureux le commerçant?

III. Questions for oral or written expression.
1. Quelle langues parles-tu?
2. Est-ce qu'on parle une autre langue dans ta famille? dans ton voisinage?
3. Achète-t-on des vêtements dans une pharmacie, une confiserie ou dans un magasin de confection?
4. Préfères-tu un magasin où l'on vend des articles chers ou bon marché?
5. Comment trouves-tu les commerçants, honnêtes ou malhonnêtes?
6. Pourquoi fais-tu des achats dans un magasin particulier?
7. Comment peux-tu améliorer tes notes?
8. Quand es-tu de bonne volonté?
9. Quelle enseigne extraordinaire as-tu vue récemment?

20. Ami ou ennemi?

Quelquefois il est difficile de connaître ses amis. Jean de la Fontaine, le célèbre fabuliste français, a raconté cette histoire pour montrer l'importance de la puissance.°

La génisse,° la chèvre° et la brebis° étaient les amies d'un lion. Le lion était grand et fort, fier° et féroce; elles, elles étaient petites, faibles et douces. Cependant ils vivaient tous en harmonie et ils partageaient° le bien et le mal.

Un jour la chèvre a trouvé un cerf° dans un piège.° Elle a fait venir ses amis. Le lion a regardé le groupe et a compté sur ses griffes.° Puis il a dit:

puissance power
génisse heifer
chèvre goat
brebis sheep
fier proud

partageaient
  shared

cerf stag
piège trap

griffes claws

—Nous sommes quatre à partager cette proie.°   **proie** prey

Il a découpé le cerf en quatre parties. Il a pris la
première partie en disant: —Ceci est à moi, parce que
je m'appelle Lion. Vous savez bien que le lion est le
roi des animaux.

Personne n'a répondu.

—La deuxième partie est à moi aussi, a-t-il dit. Je
suis le plus fort et la deuxième partie va toujours au
plus fort.

De nouveau personne n'a rien dit.

—Je suis aussi le plus brave; je prends donc ce
troisième morceau. Et si quelqu'un touche la quatrième,
je l'étranglerai° tout de suite.   **étranglerai** will strangle

I. Answer the following questions in complete French sentences.

1. Qui était La Fontaine?
2. Combien d'amis avait le lion?
3. Comment était le lion?
4. Comment étaient la génisse, la chèvre et la brebis?
5. Quelle proie est-ce que la chèvre a trouvée?
6. Qui a découpé le cerf?
7. Combien de morceaux a demandé le lion?
8. Pourquoi les autres animaux n'ont-ils pas resisté?
9. Comment est-ce que le lion les a menacées?
10. Est-ce que le lion est un vrai ami ou un ennemi?

II. Questions for oral or written expression.

1. Quelle est la morale de cette fable?
2. Que partages-tu avec tes amis?
3. Qui est ton meilleur ami (ta meilleure amie)?
4. Comment est-il (elle)?
5. Comptes-tu sur les doigts?
6. A ton avis, qui est le roi des animaux? Pourquoi?
7. Comment résistes-tu à des gens qui sont comme le lion?

21. Les devoirs

—Fernand! Éteins° la télévision et viens aider Madeleine à faire ses devoirs! a crié Madame Bertheau à son mari. Il est plus important de l'aider que de regarder un match de football ou de lire le journal. Maintenant, c'est la dernière occasion° de l'aider.

    —Pourquoi dis-tu que c'est la dernière occasion de l'aider? Est-ce que Madeleine ne va plus aller à l'école l'année prochaine?

    —Mais si! a répondu sa femme d'une manière sarcastique. Mais l'année prochaine elle sera en troisième année, et tu n'en sais pas assez pour l'aider à ce niveau.°

Monsieur Bertheau s'est fâché à cause du sarcasme de son épouse. Mais il aime sa fille et il veut l'aider. Il a

éteins turn off

occasion opportunity

niveau grade

laissé tomber son journal, il a éteint la télévision et il s'est mis à travailler avec Madeleine. Pendant qu'il essayait de répondre à ses questions, il pensait toujours au match de football qu'il venait de voir à la télévision. Evidemment il a fait beaucoup de fautes. Le travail terminé, Madeleine a remercié son père de l'avoir aidée.

Le lendemain l'institutrice° a posé des questions sur les devoirs. Madeleine levait la main à chaque question parce qu'elle pensait que ses réponses étaient correctes. Malheureusement la plupart de ses réponses étaient mauvaises. **institutrice** elementary school teacher

L'institutrice lui a dit avec surprise:

—Je ne peux pas comprendre comment une seule personne peut faire tant de fautes, Madeleine.

Madeleine a regardé son institutrice et lui a dit:

—Madame, vous vous trompez. Ce n'est pas une seule personne qui a fait tant de fautes. Mon père m'a aidée à faire mon devoir.

Choose the phrase which correctly completes the sentence.
1. Monsieur Bertheau regardait
   a) un livre au sujet du football.
   b) un journal avec des photos d'un match de football.
   c) la télévision où il y a un match de football.
   d) un match de football au stade.
2. Madame Bertheau pense que son mari
   a) est très intelligent.
   b) est assez bête.
   c) s'amuse à faire les devoirs.
   d) aidera sa fille l'année prochaine.
3. En étudiant avec Madeleine, le père pensait au
   a) journal.
   b) devoir.
   c) sarcasme de sa femme.
   d) programme de télévision.

58

4. Le père a répondu _____ aux questions de sa fille.
   a) très bien
   b) sans fautes
   c) bien mal
   d) avec ironie
5. L'institutrice pensait que
   a) Madeleine a fait trop de fautes.
   b) M. Bertheau a aidé sa fille.
   c) Mme Bertheau était très sage.
   d) les résponses de la fille étaient excellentes.

22. Un ami par excellence

L'autre jour j'attendais le train dans une station de
Métro° à New York. Tout à coup j'ai vu Monsieur **Métro** subway
Dufour, mon ancien° professeur d'anglais à Paris. **ancien** former
Quand j'étais dans sa classe je n'étais pas un bon
élève. Une fois il m'a dit:

—Donnez-moi le présent du verbe anglais ⟨⟨s'en
aller⟩⟩!° **s'en aller** to go
away
Au lieu de dire ⟨⟨je m'en vais, tu t'en vas, etc.⟩⟩ j'ai
répondu: ⟨⟨Tout le monde s'en va⟩⟩.

Ce jour-là j'ai reçu deux zéros à la fois.

Je me suis approché de M. Dufour.

—Quel plaisir de vous rencontrer ici, a-t-il dit en me serrant la main.

—Monsieur—j'ai demandé—vous vous souvenez de moi, Raymond Fournier, le plus mauvais étudiant de votre classe d'anglais?

—Mais oui, a-t-il répondu.—Nous, les professeurs, nous nous souvenons toujours des pires° étudiants.   **pires** worst

Nous avons bavardé un peu. Puis il m'a dit:

—A propos, j'attends le train pour l'Université de Columbia. J'ai l'intention d'assister à un cours de littérature anglaise.

Je lui ai donné les renseignements nécessaires et il m'a remercié amicalement.

—Raymond, tu es l'ami par excellence—et il m'a serré la main.

—Vous voulez dire, Monsieur Dufour, un de vos amis sans excellence au lieu de par excellence—ai-je dit en souriant.—A propos, pourquoi n'avez-vous pas demandé des renseignements° à l'employé? Vous parlez **renseignements** information couramment anglais, n'est-ce pas?

Mon vieux, j'ai déjà parlé à l'employé et aussi à d'autres passants. Je parle anglais, mais il me semble que personne ne comprend l'anglais à New York quand je le parle.

Choose the phrase which correctly completes the sentence.
1. Cette conversation a eu lieu
    a) à Paris.
    b) à New York.
    c) en Angleterre.
    d) à l'Université de Columbia.
2. Raymond a reçu deux zéros parce que (qu')
    a) tout le monde s'en est allé.
    b) le professeur ne l'aimait pas.
    c) il ne savait pas le présent du verbe ⟨⟨s'en aller⟩⟩.
    d) c'était une très bonne note.

3. Monsieur Dufour enseignait
   a) le français.
   b) l'anglais.
   c) la littérature.
   d) l'histoire ancienne.
4. Monsieur Dufour allait
   a) étudier la littérature anglaise.
   b) enseigner à l'Université de Columbia.
   c) retourner tout de suite à Paris.
   d) donner des leçons d'anglais à Raymond.
5. Selon M. Dufour, à New York
   a) l'employé parle bien anglais.
   b) tout le monde parle anglais.
   c) les passants parlent anglais.
   d) personne ne comprend l'anglais.

23. Un poulet extraordinaire

Henri, un jeune Québécois, aime bien voyager. Quand il fait des voyages, il cherche des cadeaux pour sa famille. Il aime surtout trouver des soldes.° Cette année Henri est allé à Haïti. En revenant dans son pays, il a passé trois heures à la douane° pendant que le douanier examinait ses achats. Pour son grand-père il a acheté un chapeau de paille° et un *asson*, une courge° qui est le symbole d'autorité des prêtres vaudou.° Pour son père il a trouvé des sandales de caoutchouc° et pour son frère de quinze ans, un tam-tam (il a voulu acheter un tambourin d'acier,° mais c'était trop lourd).° Et pour les enfants? Pour les filles, des poupées de paille et

soldes bargains

douane customs

paille straw
courge gourd
prêtres vaudou
 voodoo priests
caoutchouc rubber

tambourin d'acier
 steel drum
lourd heavy

63

pour les garçons, de petites flûtes de bambou. Il a apporté pour sa mère un joli perroquet qui parlait plusieurs langues étrangères (selon le vendeur).

Rentré chez lui, Henri a vite distribué les cadeaux. Puis il est sorti pour se faire couper les cheveux. Le soir sa maman a préparé un excellent dîner pour célébrer son retour. La famille s'est mise à table à sept heures. La pièce de résistance était le coq au vin, le plat favori d'Henri.

—Est-ce que l'oiseau te plaît, maman? a demandé Henri. Il parlait du cadeau qu'il avait donné a sa mère le matin.

La mère, qui pensait à son coq au vin, a dit:—Je crois qu'il n'a pas beaucoup de goût, mon chéri.

—Je ne veux pas dire le poulet, maman. Je parle de ton cadeau, le perroquet que je t'ai donné aujourd'hui.

—Le perroquet?—a répondu sa mère. J'ai cru que c'était un poulet et j'ai donc préparé ce coq au vin.

—Comment? Tu as fait cuire le perroquet? Cet oiseau était un perroquet très intelligent. Il parlait sept langues étrangères.

—S'il parlait tant de langues—a-t-elle dit— pourquoi ne m'a-t-il rien dit quand je l'ai mis dans la marmite?

Choose the phrase which correctly answers the question.
1. Qu'est-ce qu'Henri a fait pendant son voyage?
   a) Il a acheté des choses peu chères pour ses parents.
   b) Il est devenu prêtre vaudou.
   c) Il a examiné la douane.
   d) Il a cherché des membres de sa famille.
2. Où est-ce qu'on a examiné les achats d'Henri?
   a) Dans l'avion.
   b) A Haïti.
   c) Au Canada.
   d) Au marché.

3. Qui parle beaucoup de langues étrangères?
   a) Le prêtre vaudou.
   b) Le vendeur des perroquets.
   c) La mère d'Henri.
   d) L'oiseau qu'Henri a acheté.
4. Qu'est-ce que la mère a fait au retour d'Henri?
   a) Elle est allée chez le coiffeur.
   b) Elle a distribué les cadeaux.
   c) Elle a préparé un bon repas.
   d) Elle a appris une langue étrangère.
5. Qu'est-ce que le perroquet a dit quand la mère l'a mis dans la marmite?
   a)—Je ne suis pas un poulet.
   b) Il n'a pas parlé.
   c)—Je suis un perroquet très intelligent.
   d)—Je n'ai pas beaucoup de goût.

24. L'astronaute

C'était le douze octobre. La famille Dubois était assise dans le salon après le dîner. Jacques leur racontait un film au sujet de Christophe Colomb qu'il a vu dans sa classe d'histoire. Son professeur a comparé à Christophe Colomb les astronautes américains, qui reviennent à la terre après leurs voyages fantastiques à la lune. Qu'ils sont courageux pour faire un tel° voyage dans le ciel!°

un tel such a
ciel sky

A ce moment-là, Jeannot, un gosse de six ans, a interrompu le récit de son frère.

—Je veux devenir astronaute, moi aussi, dit-il. Je n'ai peur ni d'aller dans la lune ni dans les planètes. J'irai même jusqu'au soleil.

—Mais Jeannot—a dit son père. Tu m'as dit que
tu voudrais° être agent de police ou pompier° ou
soldat. Maintenant tu veux être astronaute. Sais-tu
que c'est un travail difficile et dangereux?

    —Je n'aurai pas peur—le petit a répondu. Je suis
plus brave que les autres astronautes. Je suis plus brave
que Christophe Colomb même.

    —Mon chou—a dit la mère. Je sais bien que tu es
très courageux. Mais on ne peut pas aller sur le soleil
parce qu'il y fait très chaud. C'est une boule de feu°
et le feu te brûlera.° Comment pourras-tu te protéger
contre les rayons du soleil?

    —Je me couvrirai le corps d'une lotion. Je porterai
des lunettes° de soleil comme toi, maman, quand nous
allons à la plage.°

    —Ce n'est pas assez de protection, mon chéri.

    —J'ai une bonne idée—a dit le petit avec enthou-
siasme. Je ferai mon voyage la nuit.

voudrais would like
pompier fireman

feu fire
brûlera will burn

lunettes glasses
plage beach

I. The following statements are false. Revise them to make them true statements by changing the underlined words.
1. La famille Dubois se réunit dans la cuisine après le déjeuner.
2. On discute un livre que Jacques a lu.
3. Les astronautes ont fait un voyage à une planète.
4. Jeannot decide qu'il veut devenir pompier ou soldat.
5. Le petit veut aller à Mars.
6. Les astronautes ont une occupation facile et sûre.
7. Jeannot est un gosse timide.
8. Le soleil est une boule de neige; donc il y fait très froid.
9. Jeannot se protégera en portant un maillot de bain.
10. Sa bonne idée est de voyager le matin.

II. Answer the following questions in complete French sentences.
1. Qu'est-ce que Jacques a étudié à l'école?
2. Pourquoi a-t-on parlé de Christophe Colomb ce jour-là?
3. Où Jeannot veut-il aller?
4. Quel travail est dangereux?
5. Qui est plus courageux que les astronautes?
6. Pourquoi est-ce qu'un voyage au soleil est impossible?

7. Que fera Jeannot pour se protéger?
8. Est-ce que l'idée du petit est raisonnable? Pourquoi?

III. Questions for oral or written expression.
1. A ton avis, qui a découvert l'Amérique?
2. Que veux-tu devenir?
3. Est-ce un travail dangereux?
4. Comment imagines-tu la lune?
5. Aimerais-tu mieux explorer la terre, les cieux ou l'océan? Pourquoi?
6. Es-tu brave ou timide?
7. Que portes-tu quand il fait du soleil?
8. As-tu besoin de lunettes? Quand les portes-tu?

25. Le concert

Elle était géniale, un génie musical. Ses compositions musicales étaient meilleures que celles de Debussy ou de Ravel. Elle jouait aussi du piano, de la guitare et du violon. Qui a découvert son génie? Son professeur de musique, bien sûr. Qui avait confiance en elle? Seulement son père, un riche marchand de vins. Quand on a une fille unique, une enfant prodige, il est absolument nécessaire d'organiser un concert.

Monsieur Dupont (c'est le père) a invité tous les parents. Il leur a promis des rafraîchissements et d'autres friandises.° Il a expliqué:

friandises delicacies

—Chacun recevra une corbeille° de fruits—des oranges, des pommes, des raisins et des cerises—après le concert.

—Il y aura beaucoup de monde au concert, le papa a promis.—Les portes craqueront.°

Mais les parents ont tous refusé de venir. Ils n'avaient pas envie de souffrir. Qui pouvait aider ce père si fier du génie de sa fille? Il devenait de plus en plus triste. Que faire?

L'idée magnifique lui est venu qu'il y avait beaucoup de Dupont dans l'annuaire. Oui, il allait envoyer une invitation à chaque Dupont. Chacun allait penser que Véronique était de sa famille. Ils viendraient certainement écouter le génie musical.

Le soir du concert est arrivé et voilà une foule° de Dupont! Il n'y avait plus de places libres. Beaucoup d'invités se plaignaient° parce qu'ils devaient rester debout° dans le corridor. La fille a commencé à jouer ⟨⟨La Valse à une minute⟩⟩. Tout à coup un homme est entré en criant:—Monsieur Dupont, votre maison a pris feu!

Tout le monde est aussitôt sorti de la salle.

Le lendemain cette critique du concert a apparu dans le journal:—Le jeune génie musical, Véronique Dupont, a établi un nouveau record. Elle a terminé en dix secondes ⟨⟨La Valse à une minute⟩⟩.

corbeille basket

craqueront will burst

foule crowd

se plaignaient were complaining

I. Indicate whether each statement is true (vrai) or false (faux).
1. Véronique écrit et joue des chansons.
2. Son père vend du vin.
3. Le père a offert toutes sortes de choses à boire et à manger aux invités.
4. Personne ne voulait pas venir parce que la musique de Véronique n'était pas agréable à écouter.
5. Le père a invité tous les Dupont qui se trouvaient dans l'annuaire.
6. Il n'y avait pas beaucoup de gens au concert.
7. Il fallait acheter un billet pour assister à ce concert.
8. Un homme est entré dans la salle avec de bonnes nouvelles.
9. Chacun croyait que c'était sa propre maison qui brûlait.
10. On a critiqué la jeune musicienne d'avoir joué trop lentement.

70

II. Answer the foilowing questions in complete French sentences.
1. Qui sont Debussy et Ravel, des compositeurs ou des violonistes?
2. Qui a dit que Véronique était géniale?
3. Quelle est l'occupation de Monsieur Dupont?
4. Pourquoi les invités ne voulaient-ils pas venir au concert?
5. Combien de Dupont y avait-t-il dans l'annuaire?
6. Y avait-t-il assez de places au concert?
7. Comment est-ce qu'un homme a interrompu le programme?
8. Pourquoi est-ce que tout le monde est sorti?
9. Quel record Véronique détient-elle maintenant?

III. Questions for oral or written expression.
1. De quel instrument de musique joues-tu?
2. Aimes-tu la musique classique? populaire? folklorique?
3. Comment trouves-tu la musique de Debussy ou de Ravel?
4. Qui est l'enfant prodige de ta famille? Pourquoi?
5. Quels fruits préfères-tu?
6. Combien de personnes ont le même nom que toi dans l'annuaire?
7. Si tu proposes une fête, y aura-t-il beaucoup ou peu de monde?
8. Qui faut-il appeler quand il y a un incendie?
9. Comment sortiras-tu de l'école si l'on crie au feu?
10. As-tu jamais battu un record? Lequel?

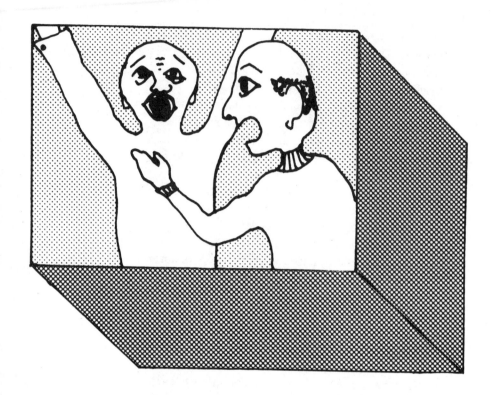

26. Point de vue

C'était une nuit obscure. Un vieil ouvrier° rentrait
chez lui. Tout à coup deux assassins l'ont attaqué. Il
a poussé des cris mais personne n'est venu lui prêter
secours.° Il était déjà mort quand la police est arrivée.
Ce crime a fait peur à toute la ville, surtout parce que
personne n'a aidé le pauvre homme. Quelques voisins
ont expliqué qu'ils dormaient quand l'attaque s'est
passée. D'autres ont entendu des cris mais ils ne
savaient pas ce qui est arrivé. Un seul homme a avoué°
qu'il avait eu peur de savoir ce qui se passait dans la
rue.

ouvrier worker

prêter secours to help

a avoué admitted

72

Le détective a interrogé un homme qui ne semblait pas prendre le crime au sérieux. Il était évident qu'il voulait se moquer de° la police.

se moquer de to make fun of

—Avez-vous vu les assassins? a demandé le détective.

—Assassin? Je ne comprends pas ce mot. Que veut dire «assassin»?

—C'est quelqu'un qui tue—a répondu l'agent.

—Vous voulez dire un boucher?—a dit cet homme.

—Non. C'est quelqu'un qui tue des gens—a dit l'agent, ennuyé.

—Oh, un soldat alors.

—Non, certainement pas. C'est quelqu'un qui tue en temps de paix.

—Oh, un médecin—l'autre a répondu.

Le détective s'est de plus en plus fâché. A bout de patience, il a saisi le philosophe idiot et l'a secoué° en disant:

a secoué shook

—Si tu continues à me donner des réponses bêtes, je te tuerai.

Alors tout effrayé,° l'autre a crié:—Au secours! Aidez-moi! Un assassin veut me tuer. Au secours! Au secours!

effrayé frightened

I. Choose the phrase which correctly answers the question.
1. Qui a aidé la victime?
   a) La police.
   b) Un voisin.
   c) Personne.
   d) L'assassin.
2. Combien de personnes ont dit qu'elles avaient peur?
   a) Plusieurs.
   b) Toute la ville.
   c) Ceux qui ont entendu les cris.
   d) Une seule.
3. Avec qui est-ce que le détective a parlé?
   a) Le boucher.

b) Le soldat.

c) L'assassin.

d) Le philosophe.

4. Selon cet homme, qui tue en temps de paix?

a) Les agents de police.

b) Les médecins.

c) Les philosophes.

d) Les soldats.

5. Pourquoi crie-t-il 〈〈Au secours〉〉?

a) L'agent le menace.

b) Il voit venir les assassins.

c) Il ne veut pas répondre aux questions.

d) Il n'est pas sérieux.

II. Answer the following questions in complete French sentences.

1. Que faisait l'ouvrier cette nuit obscure?

2. Qu'est-ce qui s'est passé?

3. Qui a répondu à ses cris?

4. Quelles excuses les voisins ont-ils donné?

5. Qu'est-ce que c'est qu'un assassin?

6. Que font les bouchers?

7. Comment est-ce que le philosophe s'est moqué du détective?

8. Selon le philosophe, qu'est-ce que c'est qu'un assassin?

III. Questions for oral or written expression.

1. Que crieras-tu si tu as besoin d'aide?

2. Quand est-ce qu'un agent de police t'a prêté secours?

3. De quoi te moques-tu?

4. Comment trouves-tu les romans policiers?

5. Quel programmes policiers regardes-tu à la télévision?

27. Les innocents I

Le premier procès°

   —Je ne suis pas coupable,° monsieur le juge. Je suis innocent—a dit le premier accusé. Je n'ai pas volé le poste de radio. Je vais vous expliquer. Je flânais dans la rue à trois heures du matin quand j'ai vu la vitrine cassée.° Evidemment je me suis arrêté. Au fond de la vitrine il y avait un paquet, et dans ce paquet il y avait la radio. Je ne savais pas à qui elle était. Je n'ai pas voulu la laisser parce qu'une personne malhonnête aurait pu la voler. J'ai cherché un agent mais en vain. J'ai donc décidé de la porter au bureau de police au coin de la rue. J'étais agité et confus. Voilà pourquoi

procès trial

coupable guilty

cassée broken

je suis allé en sens inverse.° Tout à coup un agent m'a **en sens inverse** in the opposite direction
attrapé et il m'a demandé la radio. Puisque je respecte
les agents de police, je leur obéis toujours et je la lui
ai donnée. Je l'ai même accompagné au bureau et
ensuite il m'a amené ici au tribunal.

Le deuxième procès:

—Monsieur le juge—ainsi a commencé l'aîné des
deux jeunes gens qui sont accusés du vol d'un sac à
main.—Monsieur le juge, mon copain et moi, nous
sommes innocents. La vieille dame s'est trompée. Ce
gars et moi, nous nous promenions dans la rue et cette
dame marchait devant nous. Tout à coup elle s'est
retournée et elle a commencé à nous frapper avec son
sac. Nous voulions nous défendre, et j'ai pris le sac.
Elle a commencé à pousser des cris. Nous ne voulions
pas réveiller tous les voisins qui dormaient et nous
nous sommes enfuis.° A ce moment-là nous avons vu **enfuis** fled
l'agent. Nous nous sommes approchés de lui pour demander sa protection contre cette vieille enragée. C'est
pour cette raison que nous sommes venus au tribunal.
Pour vous montrer que nous sommes des gens hono-
rables, tous les deux, nous voulons lui rendre l'argent
qui est tombé par terre pendant qu'elle nous frappait.

I. Indicate whether each statement is true (vrai) or false (faux).
1. On accuse le premier homme d'avoir volé une radio.
2. Le premier crime s'est passé la nuit.
3. Cet homme a cassé la vitrine d'un magasin.
4. Il a réussi à trouver un agent.
5. Il n'a pas résisté à l'agent.
6. Dans le deuxième procès une vieille dame a trompé deux garçons.
7. Les garçons marchaient derrière la dame.
8. Ils ont essayé de réveiller quelqu'un pour les aider.
9. Une vieille dame est certainement moins forte que deux jeunes gens.
10. Les jeunes gens ont volé l'argent à la dame.

II. Answer the following questions in complete French sentences.
1. A quelle heure le premier accusé flânait-il?
2. Qu'a-t-il vu?

3. Pourquoi a-t-il pris la radio de la vitrine?
4. Quelle erreur a-t-il faite?
5. Pourquoi a-t-il donné la radio à l'agent?
6. De quoi accuse-t-on les deux jeunes gens?
7. A qui était le sac à main?
8. Pourquoi les deux garçons se sont-ils enfuis?
9. Est-ce que l'agent a cru leur histoire?
10. Selon eux, comment ont-ils obtenu l'argent?

III. Questions for oral or written expression.
1. Quand aimes-tu flâner dans les rues?
2. Dans quelles vitrines regardes-tu?
3. As-tu jamais cassé une vitrine? Quand?
4. Qu'est-ce qu'on t'a volé?
5. A qui obéis-tu toujours?
6. Que met-on dans un sac à main?
7. Quand tu te promènes avec ton ami (amie), marches-tu devant, derrière ou à côté de lui (elle)?
8. Qu'est-ce qui te réveille parfois la nuit?
9. Que feras-tu si une dame te frappe avec son sac?
10. Les accusés, sont-ils innocents ou coupables, à ton avis?

28. Les innocents II

—Monsieur le juge, je ne suis pas trafiquant de drogues. Un étranger s'est approché de moi au coin de la
rue et il m'a dit:

   —Mon vieux, tu as l'air honnête. Prends ce paquet
et mets-le dans ta poche. J'ai un trou° dans ma poche   **trou** hole
et je rentre chez moi pour la raccommoder.° Je   **raccommoder** to
reviendrai dans quelques minutes.   mend

   J'ai cru ce qu'il m'a dit. Il m'a donné le paquet et il
a disparu.

   Bientôt mes camarades sont arrivés et ils m'ont
dit:

—Ouvre le paquet! Peut-être c'est une bombe.

Nous sommes entrés sous un porche.° Nous étions **porche** doorway
en train d'ouvrir le paquet quand un agent nous a sur-
pris. Il m'a amené à ce tribunal.

—Je suis coupable—a déclaré le quatrième accusé.
Je suis coupable d'entrer en compétition avec le
gouvernement. Je contrefais de l'argent; de plus je
vends la fausse-monnaie moins chère que le gouvernement. Par patriotisme je vais renoncer à cette entreprise pour mener° une vie plus honorable. **mener** to lead

Le juge écoute le témoignage° des accusés. Puis il **témoignage**
annonce sa décision. testimony

—Je condamne les accusés des trois permiers procès
à six mois de prison. J'annule° le jugement contre le **annule** suspend
dernier accusé. Libérez ce dernier prisonnier!

—Monsieur—dit le procureur°—pourquoi mettez- **procureur** prose-
vous en liberté cet homme qui a aussi commis un cutor
crime? Il était coupable, n'est-ce pas?

—Vous avez raison, monsieur le procureur, il est
coupable. Mais si je le mets en prison, tous les inno-
cents se plaindront.° Eux, ils ne voudraient certaine- **se plaindront** will
ment pas vivre avec un criminel. Je veux donc le complain
libérer.

Choose the phrase which correctly completes the sentence.

1. Un trafiquant de drogue
    a) fabrique les drogues.
    b) est pharmacien.
    c) aide les malades.
    d) achète et vend les drogues.

2. L'étranger n'a pas gardé le paquet parce que (qu')
    a) sa poche avait un trou.
    b) il y avait un trou dans le paquet.
    c) il n'avait pas de poche.
    d) il n'était pas honnête.

3. Dans le paquet mystérieux il y avait
    a) une bombe.

b) une surprise.

c) des drogues.

d) un trou.

4. Le dernier accusé était

   a) vendeur.

   b) faux-monnayeur.

   c) innocent.

   d) négociant.

5. Le juge a condamné

   a) tous les accusés.

   b) ceux qui n'ont pas avoué leur crime.

   c) les innocents.

   d) seulement le dernier accusé.

Additional Exercises

1. Une langue étrangère

I. **Vocabulary Exercises**

A. **Cognates** are words which are spelled similarly in French and English, or which have a similar root or element in both of the languages. **Ambitieux (ambitieuse)** is a cognate of "ambitious." Generally English words ending in -ous will end in **-eux (-euse)** in French. Form French cognates from the following English words.

1. furious
2. glorious
3. famous
4. curious
5. fabulous
6. nervous

Sometimes the French words have an accent, but you can still recognize these words. Give them in English.

1. délicieux
2. mystérieux
3. précieux
4. généreux

B. **Antonyms** are words which have opposite meanings. Match these antonyms.

1. de bonne heure
2. demander
3. quitter
4. bonjour
5. la mère

a) au revoir
b) rentrer
c) l'enfant
d) en retard
e) répondre

II. **Verb Exercises**

Regular **-er, -ir,** and **-re** verbs in the present tense.

A. Complete the sentences.

Tu imites le professeur.
Nous _____.
J' _____ ma soeur.
Vous _____.
Les enfants _____ leurs parents.
Elle _____ son frère.

Pierre réussit à l'école.

Vous _____.

Elles _____ à l'examen.

Nous _____.

Tu _____ à parler français.

Maman _____.

Elle répond au garçon.

Elles _____.

Marie et moi _____ au professeur.

Je _____.

Tu _____ à la question.

Vous _____.

B. Using the verbs in parentheses, complete each sentence with the correct form of the present tense.

1. Guillaume _____ un chat. (imiter)

2. Nous _____ à deux heures. (rentrer)

3. Tu _____ le français? (étudier)

4. _____-vous de bonne heure? (arriver)

5. Ils _____ leurs études. (finir)

6. Nous _____ à la porte. (frapper)

7. Je _____ une langue étrangère. (choisir)

8. Ma mère _____ avec surprise. (répondre)

9. Le chien _____ toute la journée. (hurler)

10. Ils _____ le miaou du chat. (entendre)

III. Structures

A. Choose the appropriate form of the preposition **de** or **à** to complete the sentence. Refer to the story for the correct structure if necessary.

Model: Bijou va _____ l'école.
　　　　 Bijou va ___à___ l'école.

1. Pierre est l'élève le plus intelligent _____ village.

2. Ils frappent _____ la porte.

3. Elle rentre _____ la maison.

4. Il est dix heures _____ matin.

5. Le garçon s'intéresse _____ ses études.

B. Form sentences using the words in the order given. You will have to supply other necessary words such as **de, à, le, la, que,** etc.

Model: Bijou/rentrer/maison/deux/heures.
Bijou rentre à la maison à deux heures.

1. Louise/Marie/imiter/garçons.

2. Nous/frapper/porte.

3. Tu/arriver/école/bonne heure.

4. Vous/apporter/livres/rouge.

5. Jean/moi/passer/devant/école.

2. La publicité

I. Vocabulary Exercises

A. **Cognates:** English words which end in -tion are generally the same in French and are feminine. Pronounce these French words.

1. la portion
2. la nation
3. la conversation
4. l'action
5. la direction
6. l'opération
7. la composition
8. l'admiration
9. l'élection
10. l'invitation

B. **Adverbs** can often be formed in French by adding -ment to the feminine form of an adjective. Form adverbs from these French adjectives.

Model: naturelle – naturellement

1. finale
2. générale
3. réelle
4. cruelle
5. personelle

C. **Antonyms:** Match these words of opposite meaning.

1. entrer
2. prendre
3. la viande
4. la soif
5. après

a) le poisson
b) donner
c) avant
d) sortir
e) la faim

II. Verb Exercises

Present tense of **être, avoir** and **vouloir**.

A. Complete the sentences.

Je suis près de la porte.
Hélène _____.

Vous _____ devant _____.

Tu _____ église.

Mes amis et moi _____.

Il a quatorze ans.

J' _____.

Vous _____ soif.

Tu _____.

Nous _____.

Tu veux de la viande.

Pierre et Raoul _____.

Je _____ crème.

Vous _____.

Mon père _____.

B. Using the verbs in parentheses, complete each sentence with the correct form of the present tense.

    1. Tu _____ malade aujourd'hui. (être)

    2. Pierre _____ français. (être)

    3. J' _____ trois soeurs. (avoir)

    4. _____ -vous des pommes frites? (vouloir)

    5. Les livres _____ près du cahier. (être)

    6. Marie et moi, nous _____ faim. (avoir)

    7. Je _____ intelligent. (être)

    8. Tu _____ de l'eau? (vouloir)

    9. Elle n' _____ pas raison. (avoir)

    10. Les chats _____ du lait. (vouloir)

III.   Structures

Form sentences using the words in the order given. You will have to supply other necessary words such as **de, à, le, la, que,** etc. Refer to the story for the correct structures if necessary.

Model: Je/voir/chien/devant/maison.
          Je vois le chien devant la maison.

    1. Je/voir/monsieur/près de/table.

2. Raoul/vouloir/eau minérale/parce que/avoir/soif.
3. Nous/passer/devant/grand/restaurant.
4. Tu/avoir/grand-faim.
5. Vous/manger/bifteck/pommes frites.

3. La minute de vérité

I. **Vocabulary Exercises**

A. **Cognates:** French nouns ending in **-eur** often have English equivalents which end in -er or -or. These words often refer to a person's occupation. French **danseur** is "dancer" in English. Give the English for the following French words.

1. acteur
2. boxeur
3. docteur
4. professeur
5. administrateur
6. directeur
7. ambassadeur
8. porteur

B. **Antonyms:** Match these words of opposite meaning.

1. jeune
2. riche
3. la jeune fille
4. triste
5. aller

a) le garçon
b) venir
c) pauvre
d) vieux
e) heureux

II. **Verb Exercises**

Present tense of **aller, venir,** and **pouvoir.**

A. Complete the sentences.

Il va à une autre école.
Vous _____.
Je _____ au stade.
Nous _____.
Tu _____ à la classe.
Elles _____.

Elles viennent au match.
Tu _____.
Il _____ au court.
Nous _____.
Je _____ à l'université.
Vous _____.

Il peut trouver les réponses.

Nous _____.

Je _____ étudier.

Ils _____.

Tu _____ envoyer un télégramme.

Vous _____.

B. Using the verbs in parentheses, complete each sentence with the correct form of the present tense.

1. Les jeunes gens _____ au stade. (aller)
2. Alexandre _____ jouer au football. (pouvoir)
3. Olivier _____ à une autre université. (aller)
4. Je _____ pour regarder le match. (venir)
5. _____ -ils s'amuser? (pouvoir)
6. Nous _____ le lendemain. (venir)
7. Je ne _____ pas envoyer la lettre. (aller)
8. L'équipe _____ gagner. (aller)
9. Marthe et moi _____ jouer au tennis. (pouvoir)
10. _____ -tu avec les autres étudiants? (venir)

III. Structures

Complete the sentences with the proper words from the margin. Use each word only once.

1. Olivier est triste parce qu'il a de mauvaises _____.
2. Il a _____ de son père sévère.
3. Le jour des _____ arrive.
4. Il doit _____ plus.
5. Il peut _____ au hockey.
6. Ils vont au _____ pour jouer au _____.
7. Il _____ un télégramme.

court
étudier
examens
jouer
notes
peur
reçoit
tennis

4. Politesse ou intelligence

I. **Vocabulary Exercises**

A. **Word groups:** French nouns ending in **-eur** often refer to a person's actions. These nouns are related to verbs, as **danseur** comes from **danser.** Give the **-er** verbs for the following nouns and tell what each means.

1. un chanteur
2. un visiteur
3. un joueur
4. un travailleur

5. un donneur
6. un gagneur
7. un nageur
8. un acheteur

B. **Synonyms** are words which have similar meanings. Match these synonyms.

1. causer
2. chocolats
3. grand
4. offrir
5. accompagner

a) énorme
b) aller avec
c) parler
d) bonbons
e) donner

C. **Antonyms:** Match these words of opposite meaning.

1. chaud
2. prendre
3. poli
4. grand
5. commencer

a) petit
b) s'arrêter
c) froid
d) mettre
e) impoli

II. **Verb Exercises**

Present tense of **prendre, mettre,** and **faire.**

A. Complete the sentences.

Je prends des bonbons.
Ils _____.
Tu _____ du café.
Hélène et moi _____.

Vous _____ les cartes.
Elle _____.

Tu mets la main dans la boîte.
Je _____.
Vous _____ les chocolats _____.
Nous _____.
Elle _____ dans la bouche.
Elles _____.

Je fais du français.
Nous _____.
Raoul et Léo _____ des études.
Tu _____.
Vous _____ du ski?
Il _____?

B. Complete each sentence using the correct form of the present tense.

1. Jean _____ deux desserts. (prendre)
2. _____ -tu ta robe verte? (mettre)
3. Je _____ mes excuses. (faire)
4. _____ -elles de l'espagnol? (faire)
5. Qu'est-ce que je _____ dans le thé? (mettre)
6. Il _____ très froid. (faire)
7. Je le _____ à la terrasse. (prendre)
8. Les messieurs _____ la boîte sur la table. (mettre)
9. Vous ne _____ pas de sucre? (prendre)
10. Nous _____ beaucoup de bruit. (faire)

5. Un charlatan

I. Vocabulary Exercises

A. Word groups: Find a word in the story which is related to the word given. Tell what the words mean.

Model: le médicament – le médecin (medicine, doctor)

1. une infirmerie
2. la maladie
3. le dortoir
4. le conseil
5. le repos
6. une entrée
7. vendre
8. attendre
9. se promener
10. travailler

B. Synonyms: Match these words of similar meaning.

1. se reposer
2. trente minutes
3. se promener
4. le travail
5. le médecin

a) marcher
b) le docteur
c) l'occupation
d) dormir
e) une demi-heure

C. Antonyms: Match these words of opposite meaning.

1. peu de
2. le matin
3. malade
4. enfin
5. le soleil

a) la lune
b) bien
c) la nuit
d) beaucoup de
e) d'abord

II. Verb Exercises

Present tense of reflexive verbs.

A. Supply the correct form of the reflexive pronoun.

1. Il _____ couche.
2. Vous _____ levez.
3. Je _____ repose.

4. Les amis _____ promènent.
5. Tu _____ laves.
6. Nous _____ habillons.
7. Marthe _____ assied.
8. Elles _____ réveillent.
9. Paul et moi, nous _____ promenons.
10. Il _____ amuse?

B. Complete the sentences.

Elles se reposent l'après-midi.
Tu _____.
Je _____ le soir.
Nous _____.
Paul _____ après l'école.
Vous _____.

Je me promène dans le parc.
Robert _____.
Tu _____ dans le jardin.
Ma famille et moi _____.
Vous _____ en ville.
Ils _____.

Tu te couches tard?
Hélène _____?
Je _____ de bonne heure.
Elles _____.
Nous _____ à minuit.
Vous _____.

C. Complete each sentence using the correct form of the present tense.

1. Paul _____ après le dîner. (se reposer)
2. Nous _____ le soir. (se promener)
3. Vous _____ Marie-Jeanne? (s'appeler)

4. Je _____ vers dix heures. (se coucher)

5. Tu _____ tôt le matin? (se réveiller)

III.   Structures

Decide whether the sentence needs an infinitive or a conjugated form of the verb. Complete the sentence with the correct choice.

1. Permettez-moi de _____. (venir/viens/venez)

2. Je _____ dix kilomètres par jour. (marcher/marche/marchez)

3. Il ne peut pas _____ de médicament. (prendre/prends/prend)

4. Il faut vous _____. (reposer/reposez/repose)

5. Nous _____ la langue du malade. (regarder/regarde/regardons)

8. Une fiancée nerveuse

I. Vocabulary Exercises

A. Word groups: Numbers in French have the ending **-aine** to mean "about" a certain number and **-ième** to indicate the ordinal numbers (as -th does in English). Give the meaning of these number words.

Model: une cinquantaine   about fifty

1. une vingtaine
2. une centaine
3. dix
4. douzième
5. quatorzième
6. trente et un
7. une dizaine
8. trentième
9. une quarantaine
10. dixième

B. Synonyms or antonyms: Indicate whether the following pairs of words are synonyms (S) or antonyms (A).

1. le dîner/le repas
2. s'asseoir/se lever
3. étonné/surpris
4. arriver/partir
5. mélanger/séparer
6. nerveux/à l'aise
7. divers/différent
8. désirer/vouloir
9. sur/sous
10. comprendre/savoir

II. Verb Exercises

Present tense of **voir, dire,** and **servir.**

A. Complete the sentences.

Nous voyons les amis de mes parents.
Vous _____.
Tu _____ qu'elle est jolie.
Je _____.
Ils _____ une douzaine de pommes.
Elle _____.

Elle lui dit ⟨⟨Bonjour⟩⟩.
Je _____.

Nous _____ la vérité.

Ils _____.

Maman _____ ⟨⟨Bienvenu!⟩⟩

Vous _____.

Sa fille sert le repas.

Je _____.

Vous _____ les escargots.

Tu _____.

Ils _____ les légumes.

Nous _____.

B. Complete each sentence using the correct form of the present tense.

1. Je _____ Jean après l'école. (voir)
2. Nous _____ toujours la vérité. (dire)
3. Papa va _____ le repas ce soir. (servir)
4. Que _____ -vous? (dire)
5. Ils leur _____ de venir. (dire)
6. On ne _____ jamais ces garçons. (voir)
7. Qui _____ le dessert? (servir)
8. Vous _____? Ce n'est pas difficile. (voir)

III. Structures

Direct object pronouns refer to and replace nouns. Choose the item in parentheses that the object pronoun refers to.

Model: Ne les mélangez pas! (le rosbif/la pomme/les légumes)

1. Je la trouve jolie. (le garçon/la dame/les enfants)
2. Mon frère le mange avec plaisir. (le bifteck/les pommes/la tarte)
3. Jean les porte à la fête. (la blouse/le pantalon/les espadrilles)
4. Mon père la prépare bien. (les escargots/le rosbif/la soupe)

5. Apportez-le tout de suite! (le déjeuner/les frites/la salade)
6. Je le prends toujours avant le dîner. (l'apéritif/la bière/les hors d'oeuvre)
7. Ne les mettez pas ici. (l'assiette/la fourchette/les verres)
8. Le garçon la donne à mon père. (l'addition/le menu/les haricots)

9. Bon appétit!

Vocabulary Exercises

A. Word groups: The letters **im-** or **in-** at the beginning of a French word indicate that the root word takes on a negative meaning such as "not," "un-," or "im-" in English. Find the root word in these items and give the meaning of each.

Model: impoli from poli (impolite, polite)

1. impossible
2. immoral
3. immortel
4. impatient
5. inactif

6. improbable
7. imprudent
8. injuste
9. indiscrète
10. incroyable

B. Synonyms: Find synonyms from the story for these words or phrases.

1. quatre semaines
2. tôt
3. marcher
4. le jour suivant
5. un conte

C. Antonyms: Find words of opposite meaning from the story.

1. les jours de travail
2. la dernière
3. il se couche
4. le bruit
5. triste

II. Verb Exercises

Present participle.

A. Change these verbs from the infinitive to the present participle.

Model: parler – parlant

1. marcher   5. voir
2. finir   6. entrer
3. répondre   7. se promener
4. dire   8. prendre

B. Read the following sentences. Indicate if the actions occur at the same time (A) or if one occurs before the other (B).

1. En voyant mon amie, je l'embrasse.
2. Nous regardons le film avant de dîner.
3. Je me lève tôt, puis je me promène un peu.
4. Elle est tombée en traversant la rue.
5. En travaillant, ils boivent beaucoup de café.

C. Using the verbs in parentheses, add **en** + present participle to each sentence.

Model: Il lit son journal. (déjeuner)
           En déjeunant, il lit son journal.

1. Il s'endort. (regarder la télévision)
2. Il a passé par le parc. (rentrer)
3. Elle quitte la salle. (dire ⟨⟨merci⟩⟩)
4. Il exagère un peu. (raconter l'histoire)
5. J'oublie l'heure. (jouer au tennis)
6. Ellle trouve un cadeau. (ouvrir la porte)
7. Le chef est content. (préparer le repas)
8. Le malade devient impatient. (attendre)

III. Structures

Choose the preposition that correctly completes the sentence. Refer to the story if necessary.

1. Mon père va _____ Italie.
2. L'hôtel est _____ l'église.
3. Elle s'amuse à marcher _____ les rues.
4. Ils dînent _____ silence.
5. Quelquefois nous répondons _____ comprendre.
6. Il me l'explique _____ souriant.
7. Je vais passer mes vacances _____ un petit hôtel.
8. Qui va _____ vous?
9. _____ sa promenade, il prend un café.

après
avec
dans
en
près de
sans

10. Le contestataire

I. **Vocabulary Exercises**

A. **Cognates:** French words ending in **-ie** are usually feminine in gender and often are cognates of words ending in -y in English. Give the English equivalents of the following words.

1. la biologie
2. la philosophie
3. la théorie
4. la maladie

5. la pharmacie
6. l'industrie
7. la machinerie
8. la trésorerie

B. **Synonyms or Antonyms:** Indicate whether the following pairs of words are synonyms (S) or antonyms (A).

1. vivre/habiter
2. aîné/cadet
3. ouvrir/fermer
4. le bébé/l'enfant
5. inquiéter/ennuyer

6. l'esclave/le roi
7. jamais/toujours
8. la femme/l'épouse
9. nouveau/d'occasion
10. contestataire/conservateur

C. **Family members:** Complete the blank with the correct word.

1. La fille de ma tante est ma _____.
2. La fille du roi est la _____.
3. La fille de mes parents est _____.
4. Le père de ma mère est mon _____.
5. La femme du roi est la _____.
6. La soeur de mon père est ma _____.

D. **Months:** Complete the sentence with the correct month of the year.

1. Il y a vingt-huit jours en _____.
2. Noël est en _____.
3. L'école commence en _____.
4. Le premier mois de l'année est _____.
5. Le quatorze _____ est la fête nationale française.
6. L'année scolaire se termine en _____.

7. Le Jour de l'Armistice est le onze _____.

8. Pâcques est en _____ ou en _____.

9. Christophe Colombe a découvert l'Amérique en _____.

II. Verb Exercises

Regular commands.

A. For each group of sentences give the missing command forms.

Model: Apporte le verre.   Apportons le verre.
Apportez le verre.

1. Cherche les légumes.

_____

_____

2. _____

_____

Vendez la voiture.

3. _____

Finissons le devoir.

_____

4. Mets les assiettes ici.

_____

_____

5. _____

Gardons le bébé.

_____

B. Give the second person **(tu, vous)** commands for the infinitive phrases.

Model: étudier la leçon – Etudie la leçon. Etudiez la leçon.

1. écouter maman

2. jeter la balle

3. répondre vite

4. choisir un cadeau

5. venir à la fête

C. Change the following sentences from the negative to the affirmative.

  1. Ne me donnez pas le jouet.
  2. Ne te couche pas de bonne heure.
  3. Ne la mets pas sur la table.
  4. Ne leur parlez plus.
  5. N'ouvrons pas la porte.
  6. Ne lui dis pas la vérité.

III. Structures

Possessive adjectives.

A. Choose the correct form of the possessive adjective.

  1. _____ frère s'appelle Paul. (mon/ma/mes)
  2. Où est _____ jouet? (son/sa/ses)
  3. _____parents sont gentils. (leur/leurs)
  4. _____ repas sont excellents, monsieur. (notre/nos)
  5. _____soeur se couche tard. (ton/ta/tes)
  6. _____ examens sont difficiles. (son/sa/ses)
  7. _____ oreilles sont trop grandes. (mon/ma/mes)
  8. N'inquiétez pas _____ professeur. (votre/vos)

B. Complete each sentence with the possessive adjective that refers to the subject.

Model: Mon père déteste ___son___ travail.

  1. Les grands-parents adorent_____ petite-fille.
  2. Marie veut réussir à _____ examen.
  3. Monsieur Dupont prend _____ dîner dans un restaurant.
  4. Vous allez voir _____ parents?
  5. Je peux apporter _____ bicyclette.
  6. Aimes-tu _____ école?
  7. Nous n'allons pas à _____ maison.
  8. Marie est jalouse de _____ soeur.

11. Comment les enfants apprennent-ils?

Vocabulary Exercises

A. **Word groups:** See if you can give the meaning of the less familiar words by comparing them to the basic word. Pay attention to whether words are nouns, verbs, or adjectives.

1. étudier: un étudiant, une étudiante, une étude
2. le pays: le paysage, un paysan, une paysanne
3. le jour: la journée, le journal, le journaliste
4. habiter: un habitant, une habitation
5. ennuyer: ennuyeux, les ennuis
6. timide: timidement, la timidité
7. confiance: se confier, confiant
8. regretter: le regret, regrettable

B. **Antonyms:** Match these words of opposite meaning.

1. réussir   a)   intelligent
2. demain   b)   commencer
3. se rappeler   c)   échouer
4. quelque chose   d)   hier
5. bête   e)   rien
6. finir   f)   oublier
7. nouveau   g)   poser une question
8. répondre   h)   ancien

II. **Verb Exercises**

Irregular commands of **être** and **avoir.**

A. From the following list, choose the two commands that fit each situation.

Ne sois pas bête!   Aie confiance.
Ne soyons pas bêtes!   Ayons confiance.
Ne soyez pas bêtes!   Ayez confiance.

1. Monsieur Legrand parle à sa fille:
2. Monsieur Legrand parle à ses enfants:
3. Monsieur Legrand propose quelque chose à sa famille.

B. Change the following statements to commands in the same person.

Model: Tu n'es pas timide. Ne sois pas timide.

1. Tu as raison.
2. Nous sommes de bonne heure.
3. Nous n'avons pas peur.
4. Vous n'êtes pas bêtes.
5. Vous n'avez pas peur.
6. Tu n'as pas soif.
7. Tu es sage.
8. Vous n'êtes pas méchants.

III. Structures

Rewrite the sentences using the negative expression in parentheses.

1. Je sais où il demeure. (ne - pas)
2. Il dit. (ne - rien)
3. Je vois. (ne - personne)
4. Ils viennent. (ne - jamais)
5. J'ai soif. (ne - plus)
6. Il me pose dix questions. (ne - que)
7. Qui réussit à l'examen? (ne - pas)
8. Elle apprend dans cette classe. (ne - rien)

12. Je ne comprends pas

I. **Vocabulary Exercises**

A. **Word groups:** Find a verb in the story that is related to the noun given. Give the infinitive of the verb and tell what both words mean.

1. le travail
2. l'invitation
3. l'achat
4. le mort
5. le marié
6. les cris

B. **Nouns and adjectives:** Find the adjective in each noun and tell what the words mean.

1. la beauté
2. la richesse
3. la pauvreté
4. la tristesse
5. le grandeur
6. la vieillesse
7. la bêtise
8. le contentement

C. **Synonyms:** Match these words and phrases of similar meaning.

1. l'église
2. être fatigué
3. le visage
4. la terre
5. cesser

a) la rue
b) s'arrêter
c) avoir sommeil
d) la cathédrale
e) la figure

II. **Verb Exercises**

Venir de + infinitive.

A. Complete the sentences.

Il vient de vendre la voiture.
Tu _____.
Nous _____ voir le cortège.
Je _____.
Vous _____ recevoir les nouvelles.
Mes parents _____.

B. Read the following sentences. Indicate whether the action is occurring in the present (P) or if it occurred in the immediate past (IP).

   1. Elle se marie.
   2. Nous venons de voir le film.
   3. Tu viens de parler avec lui?
   4. Je viens après la noce.
   5. Mon père vient de comprendre l'explication.
   6. Vous lui répondez en français, n'est-ce pas?

C. Change these sentences to the immediate past (using **venir de** + infinitive).

   1. Je dîne chez moi.
   2. Nous arrivons à Paris.
   3. Ils tombent dans le jardin.
   4. Tu parles avec mon professeur?
   5. Jean voit l'accident.
   6. Regardez-vous la télévision?
   7. Les étudiants vont en classe.
   8. La dame s'approche de l'agent.

III. Structures

Complete each sentence with the correct nationality word.

   1. Le _____ rencontre des amis. (Français/français/Française)
   2. C'est une voiture _____. (Américain/américain/américaine)
   3. Qui parle _____ ici? (Anglais/Anglaise/anglais)
   4. L'_____? Je ne le comprends pas (Italienne/italien/italienne)
   5. L' _____ est la cousine de Marc. (Espagnol/Espagnole/espagnol)

16. Quelle soupe excellente!

Vocabulary Exercises

A. **Word groups:** Some French verbs have related nouns ending in **-sion.** These nouns are feminine and are usually cognates of English. Give the nouns related to the following verbs and tell what each word means.

Model: permettre – la permission (to permit, permission)

1. persuader
2. décider
3. procéder
4. posséder
5. succéder
6. invertir
7. discuter
8. confesser

B. **Antonyms:** Find words or phrases of opposite meaning from the story.

1. soif
2. long
3. avant
4. glacée
5. bon marché

C. Complete the sentences with the proper words from the margin. Use each word only once.

1. Il fait frais en _____.	automne
2. Le _____ est dangereux.	four
3. On fait la soupe dans une _____.	fusil
4. On met la soupe sur le _____.	hache
5. Je mets l'argent dans ma _____.	lait
6. On coupe le bois avec une _____.	légumes
7. Les oignons, les haricots et les	marmite
petits pois sont des _____.	poche
8. Les _____ voyagent beaucoup.	vagabonds
9. La vache donne du _____.	

II. Verb Exercises

Review of 1–16.

A. Give the correct forms of these regular verbs.

	couper	nourrir	entendre
vous	_____	_____	_____
je	_____	_____	_____
tu	_____	_____	_____
elle	_____	_____	_____
ils	_____	_____	_____
nous	_____	_____	_____

B. Give the correct forms of these irregular verbs.

1. être: je _____   vous _____   ils _____
2. avoir: il _____   tu _____   elles _____
3. aller: je _____   il _____   tu _____
4. venir: il _____   ils _____   vous _____
5. vouloir: je _____   elles _____   nous _____
6. pouvoir: tu _____   vous _____   elle _____
7. faire: ils _____   nous _____   vous _____
8. prendre: je _____   vous _____   ils _____
9. mettre: tu _____   il _____   nous _____
10. dire: je _____   vous _____   elles _____

C. Give the command forms for the following verbs.

	(tu)	(vous)	(nous)
1. tirer	_____	_____	_____
2. choisir	_____	_____	_____
3. permettre	_____	_____	_____
4. avoir	_____	_____	_____
5. être	_____	_____	_____
6. faire	_____	_____	_____

110

D. Complete each sentence with the proper verb form in rentheses.

    1. Les étrangers _____ à la porte. (frapper/frappent, frappant)

    2. _____-moi de dîner ici. (Permettre/Permets/Permettant)

    3. Puis-je _____ une bonne soupe? (faire/fais/faites)

    4. En _____ ils ne parlent pas. (manger/mangent/mangeant)

    5. Je viens de _____ sa colère. (remarquer/remarque/remarquant)

    6. Ça lui plaît de _____ ses animaux. (nourrir/nourrit/nourrissant)

    7. Nous exagérons en _____ de nos notes. (parler/parlons/parlant)

    8. Vers 8 h. ils se _____ à table. (mettre/mettent/mettant)

E. Complete each sentence using the correct form of the verb.

    1. J' _____ ma mère. (écouter)

    2. Il va _____ à son examen. (réussir)

    3. Nous _____ à l'école. (aller)

    4. _____ le couvert, ma fille. (mettre)

    5. En _____ le bruit, il se réveille. (entendre)

    6. Nous venons de _____ l'accident. (voir)

    7. Vous ne _____ pas le français? (comprendre)

    8. Il lui demande de _____ le bois. (couper)

    9. Les frères de James _____ le fusil et _____. (prendre/tirer)

    10. En _____ dans la cuisine, elle voit les assiettes sales. (entrer)

...ı sentences using the words in the order given. Refer to
ᴈ story for the correct structures if necessary.

1. Aujourd'hui/je/avoir/faim/mais/ne pas/avoir/
   argent.
2. automne/faire/frais/et/quelquefois/assez/froid.
3. dame/me/permettre/entrer/cuisine.
4. Je/aller/faire/soupe/merveilleux/bâton.
5. paysan/demander/morceau/fromage.
6. Il/manger/tout/soupe/et/ne rien/donner/paysans.
7. animaux/ne pas/manger/sans/travailler.
8. vagabond/couper/bois/parce que/avoir/peur/fusil.

17. Le pourboire

Vocabulary Exercises

A. **Word association:** The meanings of some French words can be derived by first associating them with similar English words. For example, **chant** is a cognate of "chant" and by association in English, we arrive at the meaning "song." Give the meanings of these words.

1. gentil
2. un camarade
3. le chauffeur

4. le bâton
5. nourrir
6. la réunion

B. Indicate whether the following pairs of words are synonyms (S) or antonyms (A).

1. sympathique/gentil
2. descendre/monter
3. bavarder/écouter
4. autocar/autobus
5. valises/bagages

6. lentement/rapidement
7. loin/près
8. rentrer/retourner
9. fermer/ouvrir
10. prochain/passé

II. **Verb Exercises**

Passé composé with **avoir** of regular **-er, -ir,** and **-re** verbs.

A. Indicate whether the action occurs in the present (P) or if the action was completed in the past (PC, for passé composé).

1. Il a décidé de faire un voyage en France.
2. J'ai trompé ce pauvre garçon français.
3. J'ai beaucoup de valises dans la voiture.
4. Nous avons choisi un petit hôtel.
5. Vous m'avez rendu un service important.
6. Passes-tu de bonnes vacances ici?
7. Il a laissé tomber les valises.
8. Je suis dans l'autocar, mais ou est le chauffeur?

B. Complete the sentences.

J'ai trompé le professeur.
Vous _____.

Tu _____ le chauffeur.
Nous _____.
Il _____ les voleurs.
Elles _____.

Tu as rempli les verres.
Vous _____.
Elle _____ la bouteille.
Ils _____.
J' _____ la marmite.
Nous _____.

Il a entendu une voix.
J' _____.
Nous _____ les chansons.
Les jeunes filles _____.
Tu _____ les cris.
Vous _____.

C. Give the past participles for these infinitives.

1. descendre
2. bavarder
3. nourrir
4. chercher
5. répondre

6. écouter
7. vendre
8. réussir
9. finir
10. montrer

D. Change these sentences to the passé composé.

1. Je nage dans la piscine.
2. Le garçon crie dans la rue.
3. L'agent me rend mon permis de conduire.
4. Les touristes marchent lentement.
5. Mon oncle répond aux questions de ma cousine.
6. J'entends un bruit dans la nuit.
7. Tu réussis à l'examen, n'est-ce pas?
8. Vous donnez un pourboire au chauffeur.

III. Structures

Indirect object pronouns.

A. The indirect object pronouns **lui** and **leur** replace noun phrases. Chose the item in parentheses that the object pronoun refers to.

1. Je lui montre mon passeport. (à l'agent/aux employés)
2. Il leur crie: —Mon pourboire! (à l'Américain/aux touristes)
3. Le chauffeur lui demande son billet. (à la vieille dame/aux passagers)
4. Nous lui avons donné l'argent. (au vendeur/aux vendeuses)
5. Qui peut leur parler français? (à la victime/aux nouveaux mariés)

B. Rewrite the sentences replacing the underlined noun phrase with the proper indirect object pronoun.

1. Je donne des pourboires généreux aux garçons.
2. Le professeur parle à Marie et à Jeanne.
3. Il répète la question au monsieur.
4. L'employé a demandé les passeports aux touristes.
5. Qui a apporté ce cadeau à mon frère?
6. Le paysan donne à manger à ses animaux.
7. As-tu montré la route aux étrangers?
8. Je vais téléphoner au pharmacien.

18. La ponctuation

Vocabulary Exercises

A. **Word groups:** The letters **dés-** at the beginning of a French word is another indication that the root word has a negative meaning such as "not" or "dis-" in English. Find the root word in these items and give the meaning of each.

Model: désagréable from agréable (disagreeable, agreeable)

1. désaccord
2. désarmé
3. déshériter
4. désavantage
5. désintéressé

6. désapprouver
7. désassembler
8. déshonorer
9. désenchanté
10. désordre

B. **Synonyms:** Find words or phrases of similar meaning from the story.

1. bêtes
2. l'école secondaire
3. le pire
4. comique
5. mettre en colère

C. **Antonyms:** Find words or phrases of opposite meaning from the story.

1. dernier
2. agréable
3. la lumière
4. poli
5. finir

D. **Punctuation terms:** Give the punctuation mark for the following words.

1. le point-virgule
2. le point d'exclamation
3. le point final
4. les guillemets

5. la virgule
6. le point d'interrogation
7. le tiret
8. deux points

116

II.   Verb Exercises

Passé composé with **être**.

A. Complete the sentences with the correct form of the past participle.

    1. Marc est _____ au lycée. (aller)

    2. Nous sommes _____ à un bon hôtel. (descendre)

    3. Marie et Marthe sont _____ professeurs. (devenir)

    4. Etes-vous _____ dans son magasin? (entrer)

    5. Les élèves sont _____ dans l'autocar. (monter)

    6. Tu n'es pas _____ avec eux? (sortir)

B. Complete the sentences.

    Le pharmacien est allé en ville.

    La paysanne _____.

    Je _____ au cinéma.

    Nous _____.

    Elles _____ au tableau.

    Tu _____.

    Elle n'est pas restée chez moi.

    Vous _____.

    Tu _____ tranquille.

    Il _____.

    Mon ami et moi, nous _____ en classe.

    Je _____.

    Etes-vous arrivé à l'heure?

    _____-il _____?

    _____-nous _____ avant les autres?

    _____-elles _____?

    _____-tu _____ tard?

    _____-ils _____?

C. Change the sentences to the passé composé.

    1. Il vient en retard.

    2. La grand-mère monte à sa chambre.

3. Nous allons en vacances sans nos parents.
4. Tu pars à six heures, n'est-ce pas, Solange?
5. Mes soeurs restent au parc.
6. J'arrive de bonne heure à la réunion.
7. Les nouveaux mariés sortent de l'église.
8. Descendez-vous ici?

D. Complete each sentence with the proper form of **avoir** or **être** as the helping verb.

1. Mon frère _____ devenu professeur.
2. _____ -tu allé à l'aéroport avec lui?
3. Qui _____ interrompu la classe?
4. Ils _____ sortis tout de suite après la classe.
5. Ma mère lui _____ donné de l'argent.
6. Nous _____ changé la ponctuation de la phrase.
7. Marguerite _____ tombée par terre.
8. Ils _____ morts dans un accident terrible.

III.   Structures

Punctuation.

Provide correct punctuation marks for the following sentences.

1. Aujourd hui nous allons étudier la grammaire la prononciation et le vocabulaire
2. Pourquoi nous donne t il des réponses stupides
3. Vite Apportez moi l'eau bouillante
4. Il m a dit attendez moi ici
5. Le professeur a regardé l élève puis il est allé au tableau
6. On leur a demandé des haricots des oignons et un peu de viande n est ce pas
7. En voyant ce qu il faisait sa mère a dit Tel père tel fils
8. Que tu es méchant

19. Ici on parle francais

Vocabulary Exercises

A. **Cognates:** The circumflex accent (∧) in French often can be converted to the letter "s" in English, thereby making a cognate more easily seen. Give the English for the following words.

Model: vêtements "vestments" or "clothes"

1. la forêt
2. une île
3. la croûte
4. la pâte
5. la fête
6. la bête

B. **Word groups:** Find a word in the story which is related to the noun given. Tell what the words mean.

1. le voisin
2. la protection
3. la marchandise
4. le changement
5. la sagesse
6. la clientèle
7. le commerce
8. la propriété
9. l'établissement
10. l'aide

C. **Synonyms or Antonyms:** Indicate whether the following pairs of words are synonyms (S) or antonyms (A).

1. pays/nation
2. malhonnête/trompeur
3. plus/moins
4. préférer/aimer mieux
5. cher/bon marché
6. jamais/toujours
7. marchand/commerçant
8. établir/fonder
9. demain/hier
10. sage/stupide

D. Complete the sentences with the proper words from the margin. Use each word only once.

1. Les gens qui habitent près de chez vous sont vos _____.

2. J'aime regarder dans les _____ des magasins.

commerçant
demain
fenêtres
hier

119

3. Le _____ essaie de plaire aux clients.

    gens

4. Je vais vous aider _____.

    trompe

5. Il y a une porte et huit _____ dans la maison.

    vitrines

    voisins

6. Cet homme honnête ne _____ personne.

II. Verb Exercises

Imperfect tense.

A. Indicate whether the verbs in the following sentences are in the passé composé (PC) or the imperfect (I).

    1. Un commerçant a établi un magasin de confection.

    2. Personne ne venait acheter des vêtements.

    3. L'enseigne manquait.

    4. Un de ses amis lui a dit ⟨⟨salut⟩⟩.

    5. Cette enseigne extraordinaire a apparu dans la vitrine.

    6. Le commerçant était de bonne volonté.

B. Complete the sentences.

On vendait des vêtements.

Je _____.

Nous _____ du fromage et du lait.

Tu _____.

Les gens _____ des limonades.

Vous _____.

Nous étions dans le magasin.

Vous _____.

Tu _____ avec les autres.

Le Canadien _____ dans le voisinage.

Les soldats _____.

C. Complete each sentence using the imperfect tense of the verb in parentheses.

1. Mon frère _____ en vacances. (aller)
2. Nous _____ un nouveau restaurant. (établir)
3. Il leur _____ l'argent pour ce costume bleu. (manquer)
4. Je ne _____ rien. (dire)
5. _____ -tu à changer la vitrine? (aider)
6. Le négociant malhonnête _____ trop cher. (vendre)
7. _____ -vous une nouvelle robe? (faire)
8. Les jeunes gens _____ jusqu'à trois heures du matin. (danser)
9. J' _____ la phrase au tableau. (écrire)
10. Les élèves ne _____ pas aux examens. (réussir)

20. Ami ou ennemi?

Vocabulary Exercises

A. **Cognates:** Many French words beginning with **é** are cognates of English words. You can sometimes learn the English word by changing the **é** to "s". Give the English for the following French words.

Model: école (school)

1. un étudiant
2. un étranger
3. une éponge
4. une épine

5. une épouse
6. une étable
7. un état
8. une épice

B. **Word groups:** Find the adjective in each noun and tell what the words mean.

1. la facilité
2. la forteresse
3. la fierté

4. la faiblesse
5. la douceur
6. la bravoure

C. **Synonyms:** Find words or phrases of similar meaning from the story.

1. fameux
2. un conte
3. sauvage
4. courageux
5. immédiatement

D. **Les animaux:** Complete the sentence with the animal that fits the description.

1. _____ donne du lait.
2. _____ mange n'importe quoi.
3. _____ est le roi de la jungle.
4. _____ aboie et chasse les voleurs.
5. _____ nous donne de la laine.
6. _____ a un long cou.

le cerf
le chat
le cheval
la chèvre
le chien
la girafe

7. _____ peut parler.	le lion
8. _____ est de la famille du lion.	le mouton
9. _____ se trouve dans la forêt.	le perroquet
10. Le cowboy aime bien _____.	la vache

II. Verb Exercises

Passé composé of some irregular verbs.

A. Give the infinitives for the past participles.

1. Personne n'a rien dit.
2. Le lion a pris la première partie.
3. Elle a fait venir ses amis.
4. Le négociant a entrepris le travail.
5. Qu'a-t-elle appris dans cette classe?
6. L'élève n'a pas bien compris.

B. Change the sentences to the passé composé.

1. Nos amis nous disent la vérité.
2. Il fait tellement beau aujourd'hui.
3. Mon frère prend le plus grand morceau.
4. Vous faites une soupe délicieuse.
5. Tu n'apprends rien à l'école.
6. Nous faisons une promenade près du lac.
7. Comprends-tu ce film?

III. Structures

Demonstrative adjectives.

A. Choose the appropriate demonstrative adjective **ce, cette, cet,** or **ces** to complete the sentence.

1. Il va nous raconter _____ histoire.
2. Qui veut _____ morceau?
3. Les animaux vont partager _____ repas.
4. _____ griffes sont dangereuses.

5. _____ homme est un fabuliste fameux.
6. Le lion a désiré _____ puissance.
7. J'ai peur de _____ ennemi.
8. _____ amies m'aident toujours.

B. Form sentences using the demonstrative adjective where appropriate.

1. famille/demeurer/maison.
2. garçons/parler/trop/téléphone.
3. chats/avoir peur/chiens/féroce.
4. histoire/avoir/morale/important.
5. lion/ne pas/être/sympatique.
6. morceaux/viande/être/assez/grand.

24. L'astronaute

Vocabulary Exercises

A. **Cognates:** Many French words ending in **-ique** are cognates of English words that end in "-ic" or "-cal". Give the English for the following French words.

1. fantastique
2. athlétique
3. politique
4. énergique
5. publique
6. électrique
7. authentique
8. ironique
9. historique
10. psychologique

B. Complete the sentences with the proper words from the margin. Use each word only once.

1. Pour nager on va à la _____.
2. Le travail d'un agent de police est _____.
3. Pendant la journée nous avons la lumière du _____.
4. Jupiter est une _____.
5. Beaucoup de gens portent des _____.
6. On appelle le _____ quand il y a un incendie.
7. Le bois _____ dans la cheminée.

brûle
dangereux
facile
lunettes
lune
plage
planète
pompier
soleil

II. **Verb Exercises**

Future of regular verbs.

A. Indicate whether the verbs in the following sentences are in the present (P), the past (PC), or the future (F).

1. Jacques leur raconte un film.
2. Son professeur a comparé les astronautes américains à Christophe Colomb.
3. A ce moment Jeannot a interrompu le récit de son frère.

4. Le feu te brûlera.
5. Je me couvrirai le corps d'une lotion.
6. Je porterai des lunettes de soleil.
7. Nous allons à la plage.
8. J'ai une bonne idée.

B. Complete the sentences.

Je porterai des lunettes de soleil.
Jeannot _____.
Tu _____ des gants.
Nous _____.
Vous _____ un pantalon d'occasion.
Ils _____.

Le public n'applaudira pas le concert.
Nous _____.
Les enfants _____ leur jeu.
Vous _____.
Je _____ la pièce.
Tu _____.

Interromprez-vous la leçon?
_____-tu _____?
_____-il l'explication?
_____-ils le voyage?
_____-nous _____?

C. Change the sentences from the immediate future to the future.

Model: Je vais parler avec le médecin.
Je parlerai avec le médecin.

1. Mon père va détester cette musique.
2. Allez-vous porter un chapeau?
3. Nous allons finir ce travail.
4. Les voyageurs vont descendre à un hôtel.
5. Je ne vais pas sortir avec ce garçon bête.

6. Vas-tu vendre cette vieille voiture que tu aimes?

7. Comment va-t-il protéger sa montre dans le bateau?

8. Je vais dormir très tard.

III. Structures

Comparison of adjectives.

Make a comparison by combining the two sentences into one.

Model: Christophe Colomb est brave. Jeannot est plus brave.
Jeannot est plus brave que Christophe Colomb.

1. Je suis sage. Ma soeur est plus sage.
2. Mon père est sévère. Mon professeur est moins sévère.
3. Mon chien est timide. Mon chat est aussi timide.
4. Jean-Paul est impoli. Son frère est plus impoli.
5. La robe est chère. La jupe est moins chère.
6. Le film est amusant. Le livre est moins amusant.
7. Les Dupont sont riches. Les Rothschild sont plus riches.
8. Il fait chaud au printemps. Il fait plus chaud en été.

25. Le concert

I. **Vocabulary Exercises**

A. **Faux amis**: Some words that look like cognates are misleading because the French and English meanings are not the same. These words are called **faux amis,** "false friends." Be sure to learn them carefully. Give the English equivalents of the following **faux amis.**

1. assister	5. garder
2. crier	6. attendre
3. la chance	7. pratiquer
4. la journée	8. le journal

B. **Word Groups:** The ending **-ier** added to the name of a fruit refers to the tree that bears that fruit. Give the French word for the fruit produced by these trees and tell what kind of tree it is in English.

1. un cerisier	5. un poirier
2. un pommier	6. un olivier
3. un bananier	7. un prunier
4. un abricotier	8. un figuier

C. **Antonyms:** Find words or phrases of opposite meaning from the story.

1. sortir	5. content
2. recevoir	6. peu de
3. assis	7. accepter
4. s'amuser	8. commencer

D. Complete the sentences with the proper words from the margin. Use each word only once.

1. Ma soeur joue de la _____ et moi, je joue du _____.

2. Pour le petit déjeuner, je prends du jus d' _____.

3. Les athlètes veulent battre le _____.

année
annuaire
cerises
concert
disques

128

4. J'aime beaucoup écouter des _____.

5. Après la réunion, nous avons toujours des _____.

6. Si je veux écouter la musique, je vais au _____.

7. On cherche un numéro dans un _____.

8. Il y a douze mois dans une _____.

9. Les pompiers viennent pour éteindre le _____.

10. Les pommes et les _____ sont des fruits.

feu
guitare
orange
piano
rafraîchisse-
ments
record

II. Verb Exercises

Irregular futures.

A. Give the infinitives for the future verbs.

1. il recevra
2. il y aura
3. ils viendront
4. tu seras
5. je voudrai
6. nous irons
7. vous pourrez
8. il fera

B. Change the sentences from the immediate future to the future.

1. Elle va être musicienne.
2. Nous allons recevoir de bonnes nouvelles.
3. Je vais venir vous voir.
4. Vous allez avoir peur du volcan.
5. Vas-tu faire un voyage cet été?
6. Ils vont aller au concert parce que le pianiste est célèbre.
7. Je peux accepter ton invitation.
8. Son père veut nous donner des rafraîchissements.

III. Structures

A. Fill in the blank with **qui, que,** or **quoi.**

1. _____ a trouvé mon livre?
2. _____ vient chez moi?
3. _____ organise ce concert?
4. _____ voyez-vous dans la salle?
5. A _____ bon?
6. _____ penses-tu du programme?
7. _____ faire?
8. _____ peut aider ce père fier?

B. Ask a question using **qui, que,** or **quoi** to go with these answers.

1. Ma mère me donne une pomme.
2. Je lis un article dans le journal.
3. Mon oncle travaille au théâtre.
4. On peut étudier plus.
5. Nous mettons des fruits dans la corbeille.
6. Raoul est mon meilleur ami.

26. Point de vue

I. **Vocabulary Exercises**

A. **Word groups: Re-** at the beginning of a French verb adds the idea of "again" or "back" to the meaning of the root verb. Give the English for these French verbs.

1. remettre
2. revenir
3. rentrer
4. récrire

5. relire
6. reprendre
7. refaire
8. redonner

B. **Synonyms:** Find words or phrases of similar meaning from the story.

1. travailleur
2. poser des questions à
3. terrifié
4. assassiner
5. aider

C. **Antonyms:** Find words or phrases of opposite meaning from the story.

1. jeune
2. vivant
3. courage
4. guerre
5. tout le monde

D. Complete the sentences with the proper words from the margin. Use each word only once.

1. Les _____ aiment réfléchir sur la vie des hommes.

2. Les morts sont les _____ d'une attaque.

3. Il y a de braves _____ dans l'armée.

animaux
assassins
détectives
médecins
ouvriers

4. Les bouchers tuent les _____.   philosophes
5. Les _____ ont tué ce pauvre   soldats
homme.   victimes
6. Ils n'ont pas réveillé les _____   voisins
qui dormaient dans leurs maisons.
7. Les _____ sont agents de police.
8. Les malades vont chez les _____.

II.   Verb Exercises

Irregular past participles.

A.   Give the infinitives for the past participles.

1. apparu
2. cru
3. été
4. eu
5. mis
6. promis
7. reçu
8. venu
9. voulu
10. vu

B.   Change the sentences to the passé composé.

1. Le détective croit mon histoire!
2. Je lui promets de venir au concert.
3. Nous avons peur.
4. L'agent apparaît pour nous prêter secours.
5. Reçois-tu une corbeille de fruits?
6. Les voisins ne veulent pas répondre à ses questions.
7. Qui voit l'attaque?
8. Je suis effrayé.

III.   Structures   .

A.   Complete each sentence with the correct pronoun or adjective in parentheses.

1. _____ passants ont parlé du crime (Quelqu'un/ Quelques)
2. C'est _____ qui prête secours. (quelqu'un/quelque)

3. _____ recevra une corbeille de fruits. (Chacun/ Chaque)
4. Il va envoyer une invitation à _____ élève dans la classe. (chacun/chaque)
5. _____ pensera que c'est un de ses amis. (Chacun/ Chaque)
6. _____ jours plus tard, l'article a apparu. (Chaque/ Quelques)
7. Evidemment _____ a vu l'annonce. (quelqu'un/ quelque)
8. _____ matin, elle se réveille avant les autres. (Chaque/Quelque)

B. Form sentences using the words in the order given.

1. agent/interrogé/quelque/voisins.
2. Elle/vu/chaque/film/cinéma.
3. Nous/entendre/quelqu'un/crier/rue.
4. Assassin/aller/attaquer/quelqu'un/rentrer/seul.
5. Demain/chacun/lire/article/journal.
6. Je/écouter/quelque/chansons/chaque/disque.

27. Les innocents I

Vocabulary Exercises

A. **Reflexive verbs:** The addition of the reflexive pronoun to a French verb changes somewhat the meaning of the new verb, for the action comes back upon the subject. Give the English for the following pairs of verbs.

    1. lever: se lever

    2. trouver: se trouver

    3. retourner: se retourner

    4. réveiller: se réveiller

    5. tromper: se tromper

    6. appeler: s'appeler

    7. rappeler: se rappeler

    8. conduire: se conduire

    9. fâcher: se fâcher

    10. inquiéter: s'inquiéter

B. **Synonyms or antonyms:** Indicate whether the following pairs of words are synonyms (S) or antonyms (A).

    1. coupable/innocent

    2. vendre/acheter

    3. flâner/se promener

    4. malhonnête/trompeur

    5. accompagner/aller avec

    6. toujours/jamais

    7. se défendre/attaquer

    8. prendre/rendre

    9. s'enfuir/s'en aller

    10. enragé/fâché

II. **Verb Exercises**

Passé composé of reflexive verbs.

A. Complete each sentence with the past participle that agrees with the subject.

1. trompé, trompée, trompés, trompées
   Je me suis _____.
   Elle s'est _____.
   Nous nous sommes _____.
   Tu t'es _____.
2. défendu, défendue, défendus, défendues
   Il s'est _____.
   Vous vous êtes _____.
   Elles se sont _____.
   Les voisins se sont _____.
3. conduit, conduite, conduits, conduites
   Comment s'est-il _____?
   Comment t'es-tu _____, Jean?
   Comment se sont-elles _____?
   Comment vous êtes-vous _____, mes enfants?

B. Change the sentences to the passé composé.

1. Il s'amuse à regarder des westerns à la télévision.
2. Nous ne nous inquiétons pas.
3. Je me lève de bonne heure.
4. Maman, te fâches-tu?
5. Elle s'approche de la victime.
6. Les voleurs s'enfuient.
7. Mathieu, tu ne te retournes pas?
8. Les trois jeunes filles se trompent.
9. Ma petite soeur se conduit mal.
10. A quelle heure te couches-tu?

III. Structures

A. Complete each sentence with the correct pronoun form in parentheses.

1. _____ ne suis pas coupable. (Je/Me/Moi)
2. Elle marchait devant _____. (il/le/lui)
3. Mon copain et _____, nous sommes innocents. (je/me/moi)

4. Il _____ est arrêté. (l'/lui/s')
5. Les assassins? Personne ne _____ voit jamais. (les/leur/se)
6. Elle a commencé à _____ frapper. (je/me/moi)
7. Je _____ ai donné l'argent. (les/leur/se)
8. Ils se sont approchés de _____ (te/toi/tu)

B. Substitute pronouns for the underlined nouns.

1. La dame marchait devant les garçons.
2. Mon père a lu l'article à mes frères.
3. Les agents ont posé des questions aux voisins.
4. Le malade va aller chez le médecin.
5. Le juge écoute le témoignage.
6. Qui veut annoncer les nouvelles à l'accusé?
7. Mes parents vont aller en vacances sans mes frères et moi.

Master French-English Vocabulary

Vocabulary Notes

Vocabulary Time Savers

1. Words easy to recognize.
   a) The same in both languages: **crime, idéal, hôtel, radio, télévision, surprise.**
   b) Slight change: **artiste, musique, personne, histoire, gouvernement, défendre.**
2. Prefixes and suffixes.
   a) **dés-, in-, im-** (im, in-, dis-, un-): poli (polite), **im**poli (impolite); agréable (pleasant), **dés**agréable (unpleasant); possible (possible), **im**possible (impossible).
   b) **-ant** (-ing): ennuy**ant** (annoying), discut**ant** (discussing).
   c) **-eur, -euse** (trade or profession): vend**eur** (salesman), vendre (to sell); dans**eur** (dancer), danser (to dance).
   d) **-eux, -euse** (-ous): fam**eux** (famous), mystéri**eux** (mysterious).
   e) **-ment** (-ly): rapide**ment** (rapidly), évidem**ment** (evidently).
   f) **-aine, -ième** (+ numbers): douz**aine** (a dozen), douz**ième** (12th).
   g) **re-** (re-, again): venir (to come), **re**venir (to come back).
3. Nouns formed from other words.
   a) From verbs: travailler (to work), **travail** (work); vendre (to sell), **vente** (sale), décider (to decide), **décision** (decision).
   b) From past participles: **entrée** (entrance), **sortie** (exist).
   c) From adjectives: beau (beautiful), **beauté** (beauty).

BEWARE! Some words may fool you; they are **faux amis.** Parents (relatives), crier (to shout), assister (to attend).

How To Use This Vocabulary

1. Nouns are listed with the gender indicated by (m) or (f).
2. Verbs are given in the infinitive form.
3. Adjectives are given in the masculine singular. Irregular feminine forms are noted.

Master French-English Vocabulary

A

aboyer to bark
absolument absolutely
accompagner to accompany
accueillir to welcome
accusé (m) defendant
achat (m) purchase
acheter to buy
admirer to admire
adresse (f) address, skill
adroit skillful, clever
affaires (f) business, things
agent de police (m) policeman, police officer
agir: s'agir de to be a question of, to be about
agité agitated, excited
agréable pleasant
aider to help
aimable likable, nice
aimer to like, to love
aîné older, oldest
ainsi thus, and so
air (m) appearance
avoir l'air de to seem, to appear
aller to go
s'en aller to go away
alors then
ambitieux, -euse ambitious
améliorer to improve
amener to bring
américain American
ami, amie friend
amicalement in a friendly way
amusant funny, amusing
amuser: s'amuser de to enjoy, to have a good time
an (m) year
avoir—ans to be—years old
ancien, -ne old, former
anglais English
année (f) year
annoncer to announce
annuaire (m) telephone directory
apercevoir: s'apercevoir de to notice
apéritif (m) before-dinner drink

apparaître to appear
appeler to call
s'appeler to be named
appétit (m) appetite
applaudir to applaud
apporter to bring
apprendre to learn
après after
après-midi (m) afternoon
argent (m) money
arriver to arrive, to happen
asseoir: s'asseoir to sit down
assis seated
assez enough
assiette (f) plate, dish
assister to attend
athlète (m) athlete
athlétique athletic
attaquer to attack
attendre to wait
aujourd'hui today
aussi also
aussi . . . que as . . . as
autocar (m) bus
automne (m) autumn
autre other
avancer to go toward
avant before
avec with
avion (m) airplane
avis (m) opinion
avocat (m) lawyer
avoir to have
avoir chaud to be warm
avoir faim to be hungry
avoir froid to be cold
avoir l'intention de to intend to
avoir peur to be afraid
avoir soif to be thirsty
avouer to confess, to admit

B

bassin (m) pool
bateau (m) boat
batiment (m) building
baton (m) stick

bavarder to talk, to chatter
beau, belle handsome, beautiful
beaucoup many, a lot, very much
bébé (m) baby
bébête silly
besoin: avoir besoin de to need
bête dumb, stupid, foolish
bêtise (f) a foolish thing
beurre (m) butter
bien well, very
bien que although
bienvenu welcome
bifteck (m) steak
bilingue bilingual
billet (m) ticket
blanc, blanche white
blond blonde
boire to drink
bois (m) wood
boîte (f) box
bombe (f) bomb
bon, bonne good
bonbon (m) candy
bonheur (m) happiness
bouche (f) mouth
boucher (m) butcher
bouillant boiling
boule (f) ball
bout (m) end
   d'un bout à l'autre from one end
    to the other
bouteille (f) bottle
boutique (f) small shop
bruit (m) noise
brûler to burn
bureau (m) office
   bureau de police police station
   bureau de travail study

C

ça that
cabinet (m) office
cadeau (m) gift, present
cadet younger
café (m) coffee, restaurant
camarade (m) friend, pal
camion (m) truck
caoutchouc (m) rubber
cartes (f) cards

casser to break
causer to chat
ce, cet, cette; ces this, that; these, those
ceci this one
ceinture (f) belt
cela that one
célèbre famous
celui, celle; ceux, celles this (one), that; these, those (ones)
cent hundred
   pour cent percent
cependant however
cerise (f) cherry
certainement certainly
cesser to stop
chacun each (one)
chaise (f) chair
chambre (f) room
chandelle (f) candle
chant (m) song
chanteur (m) singer
chapeau (m) hat
chaque each
charlatan (m) quack doctor
chat (m) cat
chaud warm, hot
chauffeur (m) driver
cher, chère dear, darling, expensive
chéri (m) darling
chercher to look for
cheveux (m) hair
chez at the home of, at the office of
chien (m) dog
chose (f) thing
chouchou (m) favorite, darling
ciel (m) sky, heaven
cinéma (m) movies
cinquantaine (f) about fifty
client (m) patient, customer
climat (m) climate
coiffeur (m) hairdresser
coin (m) corner
colère (f) anger
   mettre en colère to make angry
comme as, like
commencer to begin
comment how
commerçant (m) businessman, shopkeeper

commettre to commit
comprendre to understand
compter to count
conduire to drive
  se conduire to behave
confiance (f) confidence, trust
confus confused
connaître to know
conseil (m) advice
conseiller to advise
content happy
contestataire (m) protester, rebel
contre against
contrefaire to counterfeit
copain (m) friend, buddy, pal
coq au vin (m) chicken in wine sauce
corbeille (f) basket
cordialement warmly, cordially
corps (m) body
corridor (m) hallway, corridor
coucher de soleil (m) sunset
coucher: se coucher to go to bed
coup: tout à coup suddenly
coupable guilty
couper to cut
courageux, -euse brave, courageous
couramment fluently
courir to run
cours (m) class, course
court short
coûter to cost
couvert (m) table setting
  mettre le couvert to set the table
couvrir to cover
craie (f) chalk
crier to shout, to yell
critiquer to criticize
croire to believe, to think
cuire: faire cuire to cook
cuisine (f) kitchen, cooking
cycliste (m) cyclist, bike rider

D

dame (f) lady, woman
dangereux, -euse dangerous
dans in
danser to dance
danseur (m) dancer
davantage more

debout standing
décider to decide
découper to cut up
dedans inside
dehors outside
déjà already
délicieux, -euse delicious
demain tomorrow
demander to ask
demi half
  une demi-heure a half hour
depuis since, from
dernier, -ère last
dès from
désagréable unpleasant, disagreeable
descendre to go down, to get off,
  to stay (at a hotel)
désirer to want
détruire to destroy
deux two
deuxième second
devant in front of
devenir to become
devoir (m) homework
devoir must, should, ought, to have to
difficile difficult, hard
dîner (m) dinner
dîner to eat dinner
dire to say, to tell
discuter to discuss, to talk about
disparaître to disappear
distingué distinguished
diviser to divide
doigt (m) finger
donc then
donner to give
dormir to sleep
douane (f) customs
douanier (m) customs agent
doux, douce sweet, gentle
douzaine (f) a dozen
drogue (f) drug
dur hard, difficult

E

eau (f) water
école (f) school
écouter to listen
écrire to write
effrayé frightened, afraid

140

église (f)   church
élève (m/f)   pupil, student
en   in, some
encore   again, yet, still
endormir: s'endormir   to fall asleep
énergique   energetic
enfant (m/f)   child
enfin   finally, at last
enfuir: s'enfuir   to flee, to run away
enlever   to carry out, to take away
ennui (m)   worry, problem
ennuyer   to annoy, to worry
énorme   huge, enormous
enragé   angry, furious
enseigne (f)   sign
enseigner   to teach
ensuite   then, afterwards
entendre   to hear
entrée (f)   entrance, main course
entreprise (f)   business, enterprise
entrer   to enter, to go in
envie: avoir envie de   to want
envoyer   to send
épicerie (f)   grocery store
époux, épouse   spouse, husband or
   wife
épuisé   exhausted, tired
équipe (f)   team
escargot (m)   snail
esclave (m)   slave
essayer   to try
établir   to establish, to build
éteindre   to put out, to extinguish,
   to turn off
étonné   surprised, astonished
étranger, -ère   strange, foreign
étrangler   to strangle
être   to be
étude (f)   study
étudiant (m)   student
étudier   to study
évidemment   evidently, of course
exagérer   to exaggerate
examen (m)   test, exam

F

fabricant (m)   manufacturer
fabuliste (m)   teller of fables
fâcher: se fâcher   to get angry

facon (f)   way, manner
faible   weak
faim (f)   hunger
   avoir faim   to be hungry
faire   to do, to make
   il fait beau   it is nice weather
   faire des achats   to go shopping
   faire des courses   to do errands
famille (f)   family
fatigué   tired
fausse-monnaie (f)   counterfeit money
faute (f)   mistake, error
fauteuil (m)   armchair
femme (f)   woman, wife
fenêtre (f)   window
fermer   to shut, to close
féroce   ferocious, wild, savage
fête (f)   holiday, feast day, festival
feu (m)   fire
février (m)   February
fier, -ère   proud
fille (f)   daughter
   jeune fille   girl
fils (m)   son
fin (f)   end
finir   to finish
flâner   to stroll, to wander
fois (f)   time, occasion
   à la fois   at the same time
fond (m)   back
   au fond de   at the back of
formule (f)   formula, expression
fort   strong, very
fou, folle   crazy (person)
foule (f)   crowd
français   French
francophones   admirers of French
frapper   to knock, to beat
frère (m)   brother
froid   cold
   avoir froid   to be cold
fromage (m)   cheese
fumer   to smoke
furieux, -euse   furious
fusil (m)   gun

G

gagner   to win
garçon (m)   boy, waiter

garder to keep, to watch
gars (m) boy
génial ingenious, clever
génie (m) genius
gens (m) people
glace (f) ice, ice cream
gosse (m) young boy, kid
goût (m) taste
grand big, large, great
grand-mère (f) grandmother
grand-père (m) grandfather
grands-parents (m) grandparents
griffe (f) claw

H

habitant (m) inhabitant
habiter to live in
haricot vert (m) green bean
heure (f) hour
  il est—heures it is — o'clock
histoire (f) history, story
homme (f) man
honnête honest
horloge (f) clock
hurler to howl

I

ici here
idéaliste idealist
idée (f) idea
idiot idiotic
immédiatement immediately
imiter to imitate
impoli impolite
infirmière (f) nurse
ingénieur (m) engineer
inquiéter to worry, to annoy, to bother
institutrice (f) elementary-school teacher
insupportable unbearable
intéresser: s'intéresser à to be interested in
interroger to question
interrompre to interrupt
inventé invented, made-up

J

jamais never
jardin (m) garden
jaune yellow
jeter to throw
jeu (m) game
  jeu de cartes deck of cards
jeune young
joie (f) joy
  de joie joyfully
joli pretty
jouer to play
  jouer à to play (a sport)
  jouer de to play (an instrument)
jouet (m) toy
jour (m) day
journal (m) newspaper
journée (f) day
juge (m) judge
jusqu'à until

L

laisser to leave
  laisser tomber to drop
lait (m) milk
langue (f) language, tongue
large wide
laver to wash
leçon (f) lesson
légumes (m) vegetables
lendemain (m) next day
lentement slowly
lettre (f) letter
lever to raise
  se lever to get up
libérer to set free
libre free, unoccupied
lieu (m) place
  au lieu de instead of
  avoir lieu to take place
lire to read
lit (m) bed
livre (m) book
loin far
long, longue long
  le long de the length of

lourd heavy
lui him
lumière (f) light
lundi (m) Monday
lune (f) moon
lunettes (f) glasses
  lunettes de soleil sunglasses
lycée (m) high school

M

magasin (m) store
  magasin de confection
    clothing store
magnifique magnificent, marvelous
main (f) hand
maintenant now
mais but
maison (f) house
maître (m) master
majestueux, -euse majestic
mal bad, not well, ill
malade sick
malheureusement unfortunately
malheureux, -euse unhappy, sad
malhonnête dishonest
manger to eat
manquer to lack, to miss
marchand (m) merchant
marché (m) market
marcher to walk
mari (m) husband
marié (m) groom
marier: se marier to get married
marmite (f) pot
match (m) game
matin (m) morning
mauvais bad, wrong
méchant bad, naughty
médecin (m) doctor
médicament (m) medicine
meilleur better
mélanger to mix
même same, even, self
menacer to threaten, to menace
menteur (m) liar
mère (f) mother
mériter to deserve

merveilleux, -euse marvelous
mettre to put, to place
  se mettre à table to sit down at the
    table
  se mettre à to begin
miaou (m) meow
midi (m) noon
mien, mienne mine
mieux better
mode (f) fashion, style
moins less
mois (m) month
monde (m) world
  beaucoup de monde a lot of people
  tout le monde everyone
monsieur (m) Mister, man, gentleman
monter to go up, to get in
montrer to show
moquer: se moquer de to make fun of
morceau (m) piece
mort dead
mot (m) word
mourir to die
musée (m) museum

N

nécessaire necessary
négociant (m) merchant
nerveux, -euse nervous
nez (m) nose
ni . . . ni neither . . . nor
niveau (m) grade, level
nom (m) name
note (f) grade, mark
nourrir to feed
nouveau, nouvelle new
  de nouveau again
nouvelle (f) news
nuit (f) night
numéro (m) number

O

obéir to obey
obscur dark
obscurité (f) darkness
occasion (f) opportunity
  d'occasion secondhand

occupé busy
octobre October
oeil (m) eye; yeux (pl)
officiellement officially
offrir to offer, to give
oignon (m) onion
oiseau (m) bird
oncle (m) uncle
ordonner to order, to command
ordures (f) garbage
oreille (f) ear
ou or
ou where
oublier to forget
ouvrier (m) laborer, worker
ouvrir to open

P

paille (f) straw
pain (m) bread
paix (f) peace
pantalon (m) pants, slacks
par by
par excellence particularly good
parce que because
parent (m) parent, relative
parler to speak, to talk
partager to share
partie (f) portion, part, game
pas not
passant (m) passerby
passeport (m) passport
passer to spend, to pass
se passer to happen
passer un examen to take a test
pauvre poor
payer to pay
pays (m) country
paysan, -ne peasant
pelote (f) jai-alai
pendant during
pendant que while
penser to think
perdre to lose
perdre du temps to waste time
père (m) father
permettre to permit
permis de conduire (m) driver's license
perroquet (m) parrot

personne (f) person
personne ne nobody
petit little, small
petit-fils (m) grandson
petits pois (m) peas
peu little, few
un peu a little
peur (f) fear
avoir peur to be afraid
peut-être maybe, perhaps
philosophe (m) philosopher
phrase (f) sentence
piège (f) trap
pire worse
plage (f) beach
plaindre: se plaindre to complain
plaire to please
s'il vous (te) plaît please
plaisir (m) pleasure
plat de résistance (m) main course
plein full, filled
pleurer to cry
plupart (f) most, the majority
plus more
de plus en plus more and more
plusieurs several
poche (f) pocket
poisson (m) fish
poivre (m) pepper
poli polite
politesse (f) politeness, courtesy
pomme (f) apple
pomme de terre potato
pommes frites French fries
pompier (m) fireman
ponctuation (f) punctuation
porte (f) door
porter to wear
porteur (m) porter
poser to put down
poser une question to ask a question
poste de radio (m) radio
poulet (m) chicken
poupée (f) doll
pour for, in order to
pourboire (m) tip
pourquoi why
pousser to push
pousser des cris to shout

pouvoir to be able, can
précis exact
préférer to prefer
premier, -ère first
prendre to take
près near
présenter to introduce
prêter to lend
prêtre (m) priest
prier to pray, to ask
   je vous en prie I beg of you
prix (m) price
procès (m) trial, hearing
prochain next
promenade (f) walk
promener: se promener to take a walk
propos: à propos by the way
propriétaire (m) owner
protéger to protect
prudent careful
publicité (f) publicity, advertisement
puis well, then
puissance (f) power
punir to punish

Q

quai (m) pier, dock
quand when
quart (m) quarter
quatre four
que what, that
 qu'est-ce que what
quel, quelle, quels, quelles which, what
quelque some
quelquefois sometimes
quelqu'un someone
queue (f) tail
qui who, whom
quitter to leave
quoi what

R

raconter to tell a story
rafraîchissement (m) refreshment
raisin (m) grape
raison (f) reason
  avoir raison to be right
rapidement quickly, fast

rappeler: se rappeler to remember
rayon (m) ray
recevoir to receive
récit (m) story, narration
regarder to look at, to watch
règle (f) rule
regretter to be sorry
reine (f) queen
remarquer to notice
remercier to thank
rencontrer to meet
rendre to return
  rendre visite to visit
renoncer to renounce, to give up
renseignements (m) information
rentrer to return
renvoyer to send back
repas (m) meal
répéter to repeat
répondre to answer
réponse (f) answer
repos (m) rest
reposer: se reposer to rest
rester to stay, to remain
retour (m) return
retourner to return
  se retourner to turn around
réussir to succeed
  réussir à l'examen to pass the test
réveiller to wake up
revenir to come back
riche rich
rien nothing
robe (f) dress
roi (m) king
rôti (m) roast beef
rue (f) street

S

sac (m) bag
  sac à main purse
sage wise, good (well-behaved)
saisir to seize, to grab
salle (f) room
  salle à manger dining room
  salle d'attente waiting room
salon (m) living room
sang (m) blood
sans without

santé (f) health
savoir to know
secouer to shake
secours (m) help
   Au secours! Help!
sel (m) salt
selon according to
semaine (f) week
sembler to seem
sens (m) sense, direction
sérieux, -euse serious
serrer to shake (hands)
servir to serve
seul alone, single
seulement only
si if, yes
sinon if not
soir (m) evening
soldat (m) soldier
solde (f) bargain, sale
soleil (m) sun
sorte (f) kind, type
sortir to go out, to leave
souffrir to suffer
souhaiter to wish
sourire to smile
souvenir: se souvenir de to remember
souvent often
stade (m) stadium
sucre (m) sugar
suivant following, next
suivre to follow
supporter to bear, to stand
sur on
sûr sure, certain
   bien sûr of course
surtout especially
sympathique nice

T

tableau (m) blackboard
taire: se taire to be quiet
tambourin (m) drum
tam-tam (m) tom-tom
tant so many, so much
tante (f) aunt
tard late

tel, telle such
tellement so
témoignage (m) testimony
temps (m) time, weather
   de temps en temps from
   time to time
tenir to hold, to keep
   tenir bon à to hold on tight
terminer to finish, to end
terrasse (f) porch, outside area
terre (f) earth
   par terre on the ground
théâtre (m) theater
timidement timidly
tirer to pull, to shoot, to take out
tomber to fall
   laisser tomber to drop
tôt early
toujours always
tour (m) tour, rounds
tourmenter to torment
tout, toute, tous, toutes all
   tout à coup suddenly
   tout de même all the same
   tout de suite immediately
trafiquant (m) pusher (drugs)
train: en train de in the act of
tranquille quiet
travail (m) work
travailler to work
très very
tribunal (m) court
triste sad, unhappy
tristement sadly
tristesse (f) sadness
trois three
troisième third
tromper to cheat
   se tromper to be wrong
tromperie (f) trick
trop too many, too much
trou (m) hole
trouver to find
tuer to kill

U

unique only
université (f) university

V

vacances (f) vacation
vache (f) cow
vagabond (m) tramp, vagabond
valise (f) suitcase
valse (f) waltz
veilleur (m) watchman, guard
vendeur (m) salesman
vendre to sell
venir to come
  venir de to have just
vérité (f) truth
verre (f) glass
vers toward
vêtements (m) clothes, clothing
viande (f) meat
vider to empty
vie (f) life
vieux, vieille old
  mon vieux buddy
ville (f) city
vin (m) wine
visage (m) face
visite (f) visit
  faire une visite to visit

vite quickly
vitrine (f) display window
vivre to live
voilà there (is)
voir to see
voisin (m) neighbor
voisinage (m) neighborhood
voix (f) voice
  à haute voix in a loud voice
  à voix basse in a low voice
vol (m) flight, theft
volcan (m) volcano
voler to fly, to steal
voleur (m) robber, thief
volonté (f) will
vouloir to wish, to want
  vouloir dire to mean
voyage (m) trip
voyager to travel
vrai true
vraiment really
vue (f) view

Y

yeux (m) eyes

NTC INTERMEDIATE FRENCH READING MATERIALS

Humor in French and English
French à la cartoon

High-Interest Readers
Suspense en Europe Series
  Mort à Paris
  Crime sur la Côte d'Azur
  Evasion en Suisse
  Aventure à Bordeaux
  Mystère à Amboise
Les Aventures canadiennes Series
  Poursuite à Québec
  Mystère à Toronto
  Danger dans les Rocheuses
Monsieur Maurice Mystery Series
  L'affaire des trois coupables
  L'affaire du cadavre vivant
  L'affaire des tableaux volés
  L'affaire québécoise
  L'affaire de la Comtesse enragée
Les Aventures de Pierre et de
  Bernard Series
  Le collier africain
  Le crâne volé
  Les contrebandiers
  Le trésor des pirates
  Le Grand Prix
  Les assassins du Nord

Intermediate Cultural History
Un coup d'oeil sur la France

Contemporary Culture in English
The French-Speaking World
Christmas in France
Focus on France
Focus on Belgium
Focus on Switzerland
Life in a French Town

Graded Readers
Petits contes sympathiques
Contes sympathiques

Adapted Classic Literature
Le bourgeois gentilhomme
Les trois mousquetaires
Le comte de Monte-Cristo
Candide ou l'optimisme
Colomba
Contes romanesques
Six contes de Maupassant
Pot-pourri de littérature française
Comédies célèbres
Cinq petites comédies
Trois comédies de Courteline
The Comedies of Molière
Le voyage de Monsieur Perrichon

Adventure Stories
Les aventures de Michel et de Julien
Le trident de Neptune
L'araignée
La vallée propre
La drôle d'équipe Series
  La drôle d'équipe
  Les pique-niqueurs
  L'invasion de la Normandie
  Joyeux Noël
Uncle Charles Series
  Allons à Paris!
  Allons en Bretagne!

Print Media Reader
Direct from France

For further information or a current catalog, write:
National Textbook Company
a division of *NTC Publishing Group*
4255 West Touhy Avenue
Lincolnwood, Illinois 60646-1975 U.S.A.